Y0-ABS-949

LUNES AMARGO

Luis Cañón

LUNES AMARGO

GRUPO EDITORIAL NORMA

WWW.NORMA.COM

BOGOTÁ BARCELONA BUENOS AIRES CARACAS GUATEMALA
LIMA MÉXICO PANAMÁ QUITO SAN JOSÉ SAN JUAN
SAN SALVADOR SANTIAGO SANTO DOMINGO

Cañón, Luis
Lunes amargo / Luis Cañón. — Bogotá : Editorial Norma, 2002.
278 p. ; 21 cm. — (Colección la otra orilla)
ISBN 958-04-6751-x
1. Novela colombiana 2. Novela histórica colombiana 3. Violencia - Colombia - Novela I. Tít.
Co863.6 cd 19 ed.
AHK5419

CEP-Banco de la República-Biblioteca Luis-Angel Arango

Apartado 53550, Bogotá

Primera edición, julio de 2002

Ilustración de cubierta: Andrés García

Armada: Blanca Villalba Palacios

Impreso en Colombia por
Cargraphics S.A. - Impresión digital

Printed in Colombia

CC 22009

ISBN 958-04-6751-x

Este libro se compuso en caracteres ITC Palatino

A mi hermano Héctor,
mi primer Ángel de la Guarda.

AGRADECIMIENTOS

A LILIANA, MI COMPAÑERA.

A ANA RODA POR SU VOTO DE
CONFIANZA Y SUS ACERTADAS
RECOMENDACIONES.

A HÉCTOR, POETA Y CAMINANTE, POR
SUS VALIOSOS APORTES COMO EDITOR
DE CABECERA DE ESTA NOVELA.

RECOSTÉ EL FUSIL a la pared del refugio y traté de salir en silencio, mientras espantaba el miedo pensando en la abuela Amelia, dedicada a tejer una manta para mí, y en mamá Ruth, siempre con su cuento del silencio, el equilibrio y el ritmo.

Apenas me moví apareció el sargento Tierradentro, sudoroso y con los ojos bien despiertos. Atento a lo que se nos venía encima:

–¿Para dónde va Agustín? –me preguntó–. Esta noche nos va a llover candela y usted deja el fierro ahí tirado. Cuántas veces tengo que decirles que el arma de un soldado es como la mujer de uno, no hay que separarse de ella por más rabias que le traiga.

–Discúlpeme mi sargento, voy al baño y regreso –le respondí–. Si usted supiera que desde que tengo fusil ando separado de Ester, la pelada que más quiero en este mundo –dije tripas adentro. Recogí el arma, crucé frente al sargento y los otros soldados, y salí a la zanja que conducía al interior del cuartel.

Sentí sobre la cara el soplo del viento, caía la lluvia triste de un lunes de abril y el canto de las chicharras no paraba. Era un ruido mamoncísimo. Palpé una vez más el bolsillo de la camisa y ahí estaba la carta de mamá Ruth, esperándome, dispuesta para cuando la quisiera leer. Pero por puro agüero no la iba a abrir, sólo lo haría cuando pasara el tropel.

Agustín escuchó, en medio de la oscuridad, el chorro caliente que golpeó la pared de baldosas blancas, cubiertas de vaporosas manchas amarillas. Sintió un zancudo, con su cabeza de dos antenas, su cuerpo de cilindro y sus patas estiradas y ligeras, que zumbaba a su alrededor, suspendido sobre sus alas transparentes. Venía de una frustrada ronda por el dormitorio donde se alineaban dos filas de literas vacías. De la pared, junto a las cabeceras de los colchones, colgaban diversas fotos de las novias, las madres y las familias de los jóvenes soldados. Imágenes sin movimiento pero con existencia, rostros congelados que tenían respiración propia, momentos pasados que regresaban, alegrías y miserias olvidadas que resucitaban. Amores intensos y enfermos estaban ahí, en blanco y negro, en amarillo, azul y rojo.

A espaldas del cuartel estaban las primeras casas de San Francisco de los Colorados, el villorrio habitado por dos mil ciento cincuenta y seis campesinos. Se trataba de viviendas de una o dos plantas. Unas levantadas en tabla, otras en ladrillo. De fachadas blancas, techos de zinc y puertas de madera. Casas que eran para ellos abrigo, solaz y futuro; y frío, desasosiego y pasado. Todas tenían las luces apagadas y sofocadas estaban también las farolas de las dos calles del pueblo. Era una aldea a oscuras, como una peña de fantasmas que habita en las tinieblas inciertas de la noche.

Me moví con sigilo en la penumbra del baño y pensé de nuevo en la abuela Amelia, con las agujas zapateando debajo de sus dedos inflamados y con sus ojos cerrados porque ya lo había visto todo. En Ruth, mi madre, sentada en posición de flor de loto, meditando solitaria en la iglesia a la hora en que no había misa. La escuché repetir sus tres palabras insignia. Las que, decía ella, gobiernan una vida útil: silencio, equilibrio y ritmo. También se me cruzó la estampa de Ester, camino al Liceo, vestida de colegiala, con su falda escocesa, el suéter rojo y sus medias en los tobillos. Qué bella era Ester, una pelada por la que daría lo que fuera. Pensé en ellas y también en mi hermana Alejandra. Todas estaban muy lejos, en los extramuros de la ciudad enclavada en los páramos.

La única que estaba cerca de mí era Isabel, mi noviecita en San Francisco de los Colorados, la encargada de alegrar mi existencia en este pueblo olvidado hasta de mi Dios. Isabel, mi compañía en los domingos solitarios, parcerita de los ratos libres, amor sin condiciones, muchachita firme, regalo de la vida, remedio para sobrellevar la ausencia de Ester.

Agustín juntó a las cinco mujeres por edades y por afectos, en tres grupos, en tres categorías: la abuela Amelia y Ruth, su madre, conformaban el primero. Isabel y Ester, sus amores, el segundo, y Alejandra, su hermana, el tercero. Pero se dio cuenta de que la clasificación era arbitraria, sin sentido ni razón de ser. Comprendió que ninguno de esos afectos era el mismo. Cada uno tenía su particular identidad, su lugar y su hora, su sabor y su lenguaje. Aún así, los rostros se le fueron entrelazando hasta volverse uno. Agustín no sabía si era la abuela que rejuvenecía, Ester que envejecía o Ruth que parecía huir del paso del tiempo; no lograba descifrar si Alejandra era Isabel o Isabel era Alejandra. Las veía a las cinco como si fueran una misma y única mujer, un solo espíritu y una sola carne.

Tengo miedo abuela, tengo miedo Ester, para qué lo voy a negar. Si se viene el baile que sea rápido para que se me espante el susto y estas manos dejen de moverse. Llevamos ya como seis horas atrincherados, esperando, y a mí la espera me acelera la paranoia. No sé cómo va a terminar este rollo, pero quiero que empiece de una.

Afuera del cuartel, los árboles bebían el agua de sus raíces amamantadas por la tierra húmeda; sus hojas estaban empapadas de gotas que esperaban los escarceos del sol ausente para disolverse, consumidas dentro de su propio ser. Colibríes y saltarines cantaban sin ganas, los armadillos se resguardaban en sus madrigueras y a la distancia rugían todopoderosas las aguas del río El Dorado.

Adentro, en el dormitorio, reposaba, olvidado en la pared del costado norte, un pizarrón verde, desteñido y en desuso. El cuartel giraba alrededor del patio sembrado en sus orillas de orquídeas, pomarrosas y jazmines. En el centro había un tablero de baloncesto, levantado apenas un metro y medio del suelo, con sus maderos desprendidos y el aro doblegado. En una de las esquinas se alzaba la imagen de cera de la virgen de la Laguna. Tenía cara de doncella mestiza y de sus dedos colgaba una camándula. Cerca de allí, en otro cuarto, como abandonados, se veían dos bultos de arroz, uno de yuca y uno de maíz.

Agustín regresó, se metió en el refugio y se puso en posición de combate, con el cañón de su Galil 7-62 sobre la rejilla y la culata recostada en su hombro. Se cacheteó el cuello, espantando el zancudo que lo seguía. El temblor de las manos, de momento, desapareció. Tocó una vez más el bolsillo de su camisa: ahí estaba la última carta de su madre. Le había llegado en el paquebote de esa mañana de lunes y él no la quiso destapar, se prometió que sólo la vería después del ataque. Observó a Belarmino, el Zambo, que llevaba cuatro años en el Ejército y era el encargado de manejar la M-60, una ametralladora de tubo largo, capaz de disparar decenas de cartuchos por minuto.

Cuando alcé el fusil, Belarmino me miró, diciéndome con los ojos que contara con él. Tenía la ametralladora montada, apuntando a todo el frente izquierdo.

–Ay muertecita nuestra, tan cerca que te sentimos en la víspera de un tropel –dijo como si cantara. Tomó el escapulario en el que guardaba las tres fotos de sus hijos y les dio un beso.

Cuando él habla de ellos, sus ojos le brillan.

–¿Está preocupado por sus hijos, Belarmino? –le pregunté.

–Sí. Ellos y el Ejército son mi vida hermano.

–¿Y no le da temor ir a morirse en esta guerra y dejarlos solos?

–No pela'o, si a mí me tumban yo sé que al principio les pegará, pero eso se les pasa. Les tocará defenderse como sea.

–A mí me parece muy tenaz que de un minuto a otro uno no vuelva a ver a su gente. Y la verdad, hermano, a mí sí me da miedo morirme. ¿Cómo será estar metido entre un ataúd, bajo la tierra? Después del entierro todo el mundo se marcha, llega la oscuridad y uno ahí, íngrimo solo, sepultado en un hueco. Qué susto tan bravo, Belarmino.

–Que va pela'o, uno ya muerto es igualito a cuando uno no había nacido: uno no siente nada.

–Si se nos van a meter, deben andar cerca –dijo mi sargento que otra vez apareció inquieto, despierto, concentrado en lo que se nos venía encima. Tierradentro se movía por entre la zanja y los tres refugios como una culebra, sin que nos diéramos cuenta. Era un duro mi sargento. Venía de un pueblo de los Andes, tenía muchos combates encima, nunca abandonaba a sus soldados y peleaba hombro a hombro. Una vez en un combate aguas abajo de El Dorado, lo hirieron. De allí lo alzaron en el helicóptero y los médicos que lo operaron dijeron que había una bala que no se le podía sacar, porque de pronto moría. Desde entonces la tropa lo llama pecho'ebala. Todos lo queremos. Aunque a veces, cuando no hay zafarrancho, le da por montársela a uno.

–Agustín, con este balde pase toda el agua de la caneca llena a la caneca desocupada y cuando termine hace lo mismo pero al revés –me ordenaba cuando estábamos resguardados en la brigada en Pueblo Grande. A mí me daba mucha piedra y él lo notaba.

–Tranquilo Agustín –decía–. A la hora de la hora, eso es lo que hacemos toda la vida.

–Cuando ataquen los bandoleros de Efraín, vamos con todo muchachos, a defendernos y a defender la Patria –nos repitió el sargento–. Sólo tiros cazados, a la fija, donde se mueva el bulto o de donde venga el fogonazo, como enseñaba el jefe Preston. Ustedes no saben quién era el jefe Preston, ¿no es cierto?, pues un día de estos les cuento quién era él y dónde lo conocí. Pilas Belarmino con la M-60 –le advirtió al Zambo, que volteó a mirar a Tierradentro, cerró el puño izquierdo y lo movió varias veces.

Todos los catorce soldados teníamos ya un lugar asignado. Dos estaban en un primer anillo de seguridad a unos trescientos metros del cuartel y los otros, de a cuatro, en los tres refugios que habíamos construido, cubriendo el frente y los dos flancos. Cada uno debía cuidar su perímetro de entre quince y veinte metros. Desde hacía varios días sabíamos que las guerrillas de Efraín pensaban caernos, sabíamos también que rondaban por el pueblo haciendo inteligencia, confundidos con los campesinos.

A diario mi sargento ponía a Radiolo, así le decíamos al lanza que manejaba las comunicaciones, a que llamara a la brigada en Pueblo Grande. Radiolo era un paisita muy buena gente, venía de los cafetales y preparaba los mejores frijoles de todo el batallón. Mi sargento hablaba primero con un mayor y después con un coronel, les explicaba que nos iban a atacar, que apenas éramos catorce hombres y él, que necesitábamos refuerzos.

Mi coronel le decía que estaban reparando los helicópteros, que ya mi general, el comandante de la brigada, había firmado la solicitud de los repuestos. Que tan pronto los arreglaran, si hacía buen tiempo, enviarían los refuerzos y más munición. Mi coronel le daba ánimo a mi sargento y le decía que él y mi general estaban con nosotros. Que peleáramos con todo.

Esa tarde, después de una última comunicación con el batallón, mi sargento dio la orden de reunir a todos los campesinos en la plaza, a la sombra del samán. Nos llevó a tres soldados con él y a los otros los dejó ahí en los refugios, les dijo que tenían que estar muy atentos.

–Estamos llamando a todos los habitantes de San Francisco de los Colorados para que hagan presencia ya mismo en la plaza principal, que mi sargento Tierradentro les quiere hablar –fue lo que el propio Agustín dijo tres veces a través del megáfono, trepado en el samán, que se extendía imponente con sus ramales de hojas como un rosario de brazos abiertos.

De las casas fueron saliendo las mujeres, con sus hijos a cuestas. Ellas sin sus críos no tenían aliento, ni camino, ni razones. Y ellos sin sus madres tampoco tenían respiro, ni sendero, ni motivos. Detrás venían los hombres que a esa hora regresaban de las parcelas. Traían las vasijas de la comida vacías, los porongos del guarapo secos y los pies cansados.

–Una buena cantidad de bandoleros, de los que dicen que los defienden a ustedes van atacar el pueblo esta noche. Por ahí supe que les han venido a preguntar sobre nosotros –dijo Tierradentro, con su voz amplificada y soberana, gracias al efecto del megáfono–. Mucho cuidado con andar de deslenguados. Antes de que empiece la verbena todos deben resguardarse en sus casas y trancar las puertas y ventanas –les advirtió el sargento de rostro moreno, metido dentro de un cuerpo grueso y duro, como un tronco.

Nadie dijo una palabra y Tierradentro, de mal humor, no habló más y se marchó con sus hombres. Agustín se devolvió y se acercó a una adolescente radiante, de la que recién se había despedido. Ella, otra vez, se le prendió del cuello y lo llenó de besos antes de dejarlo ir detrás de sus compañeros.

–Isabel me tengo que ir ya –le decía él–. Mi sargento se va a enverracar.

–Ya va mi amor, ya va, otro besito y no más –le insistía ella.

Los campesinos se dirigieron a sus viviendas. Una mujer muy joven entró a su rancho, revolvió su menaje y salió a tomar la trocha que conducía al embarcadero, donde operaba la flota de planchones y pequeñas embarcaciones dedicadas al transporte río abajo, por caseríos, aldeas y pueblos. Cargaba en una mano un talego con unos corotos y en la otra llevaba de cabestro a un chivo que la seguía como si fuera un perro remiso; detrás iban tres niños con su ropa guardada entre bolsas plásticas negras. Más atrás, salida de otra estancia, caminaba una anciana con sus avíos puestos en una palangana que sostenía en la cabeza y con dos pequeños agarrados de su mano izquierda. "Nos vamos de este purgatorio, aunque el infierno sea nuestro próximo destino", dijo ella como si hablara sola, consigo misma, con su propio silencio. Mientras avanzaban, sus cuerpos se desvanecían perdidos en el horizonte hasta convertirse en unas sombras escasas. Parecían un efímero corro de sábanas de polvo extraviadas en los recodos de la selva.

Al anochecer, Tierradentro se mostró más inquieto. Varias veces le preguntó a Radiolo qué oía por el escáner. Quería saber si había interferido alguna comunicación de los muchachos de Efraín.

–Nada mi sargento, parece que se hubieran embutido dentro de la tierra. No volvieron a hablar.

Tierradentro llamó al Orejón Rodríguez, otro soldado que también venía de los Andes y le dio instrucciones. El Orejón se agachó, puso el oído izquierdo sobre el suelo mojado durante dos minutos y luego habló en sigilo con su jefe. El sargento envió al propio Orejón a que hablara con los dos soldados que había apostado, conformando el primer anillo de seguridad. Debían redoblar su atención y tan pronto sintieran movimientos del enemigo, correr por un sendero que sólo ellos conocían, a dar aviso al cuartel. Dígales que no pueden descuidarse un segundo, fue la advertencia de Tierradentro.

–Tal vez están a unos dos o tres kilómetros –nos dijo entonces mi sargento–. Si vienen tan despacio es porque traen armamento por montones –nos advirtió–. Pilas todos. Pilas Agustín, pilas Radiolo, pilas Belarmino con la M-60, que aquí ya huele a pólvora. Nos van a tratar de sorprender esta noche. Los del primer anillo de seguridad darán la alerta definitiva.

Yo tenía el frío metido en los huesos y sentía de nuevo el temblor en las manos. Pero por momentos me tranquilizaba la idea de tener la carta de mi mamá Ruth en el bolsillo. Era como una especie de salvoconducto, creía que el hecho de no leerla me protegería durante el ataque. Mientras ponía el ojo en la mira del fusil, volví a recordar a Ester. Era una pelada muy linda. La vi, antes del brusco giro que de la noche a la mañana dio mi vida, moviéndose en el liceo Mariscal Sucre: por los salones, por el patio, por el laboratorio. Con esa falda escocesa arriba de la rodilla, el cabello suelto y su paso seguro, de quien sabe para dónde va.

Yo soy su compañero de curso. Estamos en noveno y la verdad es que ella me gusta mucho. Como le gusta a casi todos los pelados del Liceo, incluido Ezequiel Aristizábal, el profesor de historia universal y prefecto de disciplina del Liceo, que ya no es un pelado. Aristizábal es un mala leche que acostumbra pasarnos al tablero a recitar lo que hemos leído para reclamar por cualquier equivocación.

–Qué bruto es usted ¿no? ¿Acaso no recuerda que Julio César nació el 12 de julio del año cien antes de Cristo? ¿Tampoco sabe que Nerón contempló el incendio de Roma mientras tocaba la lira? –nos reclama Aristizábal.

Cuando me llega el turno de pasar al tablero, le cambio los temas para moverle el piso.

–Julio César, profesor Aristizábal, fue uno de los héroes de la guerra de Troya y Nerón, un pescador que se convirtió al cristianismo –le digo yo.

–Joven Agustín, usted es un zángano y un cretino que no sirve sino para el baile y para el fútbol. Se me sale ya de la clase –me grita furioso.

A él no le gusta el fútbol que jugamos en el potrero, ni la rumba de los sábados por la tarde, en el salón comunal. El fútbol y el baile sirven para lo mismo, dice Aristizábal, para acabar zapatos y aprender a pensar con los pies. Pero qué va, nosotros gozamos de lo lindo pegándole al balón y rumbeando.

Así son, como relata Agustín, los sábados de ese pasado inmediato, que forman parte de un presente que se acaba de ir, que se marchó hace apenas unos días, unos pocos meses. Mañanas de fútbol: corriendo, pelechando, pensando en colectivo. Partidos intensos donde está en juego el honor de la calle, del Liceo, del barrio. Y tardes de fiesta en el salón comunal de la ciudadela Córdoba, fundada años atrás por la abuela Amelia y miles de campesinos más. En esas rumbas de vértigo, un enjambre de muchachos descubre el mundo y sus bondades, en los ojos, los labios, las caderas, los cuerpos embrujados de las peladas, mientras bailan al son de la salsa y el vallenato, envueltos en un delicioso frenesí, indiferentes a la existencia del tiempo, las distancias y los compromisos.

LA ABUELA Amelia, muchos años antes de ser la abuela Amelia, cuando apenas es una niña de trenzas floreadas, vestidos de satín y muñecas imaginarias, escucha en compañía de su hermano Benjamín, en el pueblo fundado por sus ancestros a los pies de la cordillera, el eco distante de las primeras reyertas de cantina entre campesinos de los dos partidos, los rojos y los azules. A lo lejos oye que las botellas se rompen, el vidrio se parte en pedazos, la cerveza se riega llorosa, las mesas crujen asustadas, los machetes se desenfundan y los gritos se rasgan en defensa de unas ideas vagas y unos jefes etéreos que se dedican a mandar a sus emisarios a recorrer los villorrios en la víspera electoral y a leer en los periódicos las noticias que califican de hato de bandidos a los de un partido y tribu de bandoleros a los del otro.

–Copartidarios –dice el pregonero, les hablo en nombre de don Fernando Pedroza, él les manda decir que se acercan épocas de prosperidad si vamos a las urnas por la victoria electoral. No nos vamos a dejar robar de nuestros enemigos que sólo se dedican a saquear las arcas del Estado. ¡Que viva el color rojo! –grita desde un balcón en la plaza principal del pueblo.

–¡Viva! –repite Amelia, convencida. A ella, desde que tiene memoria, la atrae el color rojo. Rojo púrpura, rojo carmesí, de los tomates maduros y los atardeceres encendidos.

–Compatriotas –replica el otro mensajero–, yo represento a don Pedro Fernández, y él me pide que les anuncie tiempos de riqueza si nos dirigimos a la justa electoral para no dejarnos rapar el triunfo de nuestros adversarios, que viven de

exprimir el erario. ¡Que viva el color azul! –grita desde el mismo balcón andaluz donde el domingo anterior estuvo su antagonista.

–¡Que viva! –grita Benjamín, el hermano de Amelia, quien vibra desde niño con el color azul. Azul celeste de cielos en primavera, azul cristalino del Mediterráneo y el Caribe. Azul turquí del fuego maduro y de la cometa que vuela libre con los vientos de agosto.

Amelia y Benjamín cultivan desde pequeños la veneración a los colores que vienen cargados de presencias y ausencias, emociones y desapegos, afirmaciones y negaciones. Los dos juegan al rojo y al azul, pelean por ellos, defienden sus diferencias, aplauden sus tonos, ovacionan su aliento luminoso, festejan su resplandor y celebran su desparramada presencia en la naturaleza.

–Yo soy el color rojo que alumbra los frutos de la tierra que alimentan al hombre –dice Amelia.

–Y yo soy el azul del agua que cubre el planeta. Sin el agua la tierra se secaría y no habría frutos de deliciosos aromas ni flores de pétalos hermosos –le responde Benjamín.

–Pues yo soy el color del último sol, el que ilumina el agua y se recuesta en el horizonte anunciándole a los labriegos que ya termina su faena, que pueden regresar al rancho donde las mujeres los esperan junto a los fogones.

Y también juegan a las escondidas: Uno, dos y tres, el rojo está oculto detrás de los árboles de durazno. Salga rojo que ya lo vi. No usted no me ha visto, en cambio yo sí lo veo: Uno, dos y tres, el azul respira debajo del farol. Y pintan mundos imaginarios que están de fiesta roja y remotos planetas donde reina el azul.

Desde el púlpito, el obispo, que llega de visita al pueblo durante los festejos religiosos de Semana Santa, declara desheredados del cielo a los del partido rojo, aunque éstos también van a misa los domingos y sus mujeres tienen camándula y rezan el rosario. Queridos hermanos míos, más fácil se abrirán las puertas del reino del Señor a los pobres y abandonados, que a los bandidos del partido rojo. Hay que apartarse de ellos que son como la escoria y la sal, vocifera Monseñor, estirando su mano derecha para que sacerdotes y fieles besen su anillo celestial.

Los dos hermanos se sorprenden con las palabras de Su Excelencia, el señor obispo. Benjamín, desde que tiene recuerdos, disfruta contemplando los ojos azules de los santos de cera y Amelia goza observando el rojo intenso de las túnicas de los mártires cristianos. Y él, las esmeraldas azules, y ella, los diamantes rojos, que cubren la corona que luce la virgen de la Laguna en las procesiones. Ambos, devotos creyentes, prometen no olvidar la gracia y el donaire de los colores ni abandonar sus jugarretas a las escondidas.

Es entonces cuando irrumpe en la radio, como un ventarrón que despierta al país, una Voz única, vibrante y profunda, que seduce a todos los desheredados del país. Es una Voz maestra y qué noble es la palabra *maestra*. Capaz de llevarnos de su mano a otras de grato contenido: ejemplo, lección y norte. O pregunta, descubrimiento y asombro. La Voz, se sabrá después, ha cultivado su dicción, su densidad, su ondulación y sus ritmos, deambulando en las madrugadas por las montañas tutelares de la ciudad capital.

Es allí donde nació La Voz que se declara hija de la vigilia, del encuentro sensual entre la niebla y el rocío. Hay que acabar la persecución de los de un partido contra los del otro. Nuestros únicos enemigos son la ignorancia y la miseria, anuncia La Voz en agudo tono, para que se escuche bien lo que afirma. Sus ondas sonoras se extienden por campos y veredas. En las aldeas más remotas las gentes prestan atención a su discurso y aseguran que hasta sus animales le ponen cuidado y la entienden. Benjamín y Amelia se dejan conquistar por el embrujo de sus palabras, cuando la oyen decir que todo campesino tiene derecho a tener una parcela propia, que hay demasiada tierra concentrada en unas pocas manos. Emocionados rompen la alcancía y compran un transistor para poderla oír en la finca donde él trabaja como peón y ella de ayudante en la cocina. Amelia, para celebrar la buena nueva, estrena un pañolón rojo y Benjamín, una ruana azul.

En el más elegante Club de la distante ciudad capital, donde se respiran aires franceses, los señores Pedroza y Fernández, según cuentan los meseros que allí trabajan, oyen cómo La Voz grave y precisa se cuela los viernes en la tarde para que la escuchen. Qué fea es, no tiene acento suficiente, le falta estilo, es una Voz bruta, negra y disidente, dicen en coro. ¡Callen esa Voz!, apaguen la radio, por favor, piden las esposas de los señores y las novias de algunos señoritos que ven interrumpidas sus partidas de bridge acompañadas de té y bizcochos, porque la servidumbre se dedica a escuchar las arengas de La Voz y olvida sus tareas.

La ruta al Club se paraliza los mismos viernes a las tres de la tarde en punto. Tranvías, zorras de caballo y transeúntes se detienen para facilitar el paso del Rolls Royce en que se desplaza mister Richard Will, honorable embajador del país del Norte. En el cuarto de hora que mister Will dedica a hablar con los dos jefes políticos, los sorprende con alguno de sus comentarios, hechos siempre en un castellano limpio y fluido, aprendido a su paso por tres embajadas.

–Queridos amigos, creo que La Voz, y lo digo sin dejar de reconocerle esa extraordinaria capacidad de seducción que posee, representa un peligroso fenómeno político. El pueblo ve en ella a su aliada y su defensora. Esa Voz juega a la demagogia, defiende un sistema totalitario y se ha declarado partidaria de nacionalizar la banca, las empresas de servicios públicos, las cervecerías y, más adelante, la industria petrolera.

–Qué lucidez la suya, Sir Richard, gracias por hacernos ver lo que nosotros no vemos. Imagínese que hace unos días se atrevió a decir que ustedes, los norteamericanos, son una raza de empacadores de carne de cerdo, que carecen de nobleza y son codiciosos.

–Eso es pura charlatanería. Acuérdense más bien de la amenaza fascista que ella representa.

–Así es, desde mañana la denunciaremos en los periódicos –le responden diligentes don Pedro y don Fernando. Enseguida se toman la foto de rigor junto al diplomático, la misma que al día siguiente aparece en la primera plana de los diarios.

Una tarde de viernes, en una de sus vibrantes alocuciones, La Voz, que usa con precisión tonos bajos y altos, livianos y densos, de acuerdo al sentido de las palabras, defiende el derecho de todos los necesitados a usar calzado en lugar de andar a pie limpio. Benjamín, que anda descalzo se ilusiona y Amelia sueña con llevar tacones altos en lugar de alpargatas.

En los salones del Club, los señores de los corbatines parecen perros rabiosos.

–Cómo se atreve esta bruta Voz, que carece de ondulaciones, que no tiene curvaturas, que no saber usar el flameo, a lanzar semejante tesis. Eso es desconocer la historia –reclaman–, ya que en ciento treinta años de vida republicana jamás los pobres se han calzado, y cómo se atreve a pisotear así las leyes, ya que no hay ninguna que autorice tal despropósito.

Sólo un inmigrante palestino defiende esa posibilidad,

creyendo que de esa manera se fomentaría la incipiente industria en un país agrícola y rural. Pero su apellido es vetado en el Club y ni él ni sus descendientes podrán volver allí los domingos a contemplar las pipas de nácar, los charoles de plata y las copas de oro.

La Voz crece, se ensancha, y colgada del viento expande su sonora cobertura que se empieza a escuchar en todas partes y a toda hora. Jóvenes y viejos, hombres y mujeres, saben reproducir sus inflexiones, manejar sus cadencias y copiar sus oscilaciones.

–Yo soy la novia de La Voz –dicen Amelia y miles de muchachas más. Embelesadas, todas ellas se visten de largos trajes de seda roja y estrenan zapatos color crema de tacón alto, que agobian sus pies desacostumbrados, mientras sueñan abrazadas a sus ondas, entregadas a la melodía de su lenguaje, envueltas en la enérgica sensualidad de sus palabras.

Pero una mala mañana, un hombre de rostro incierto y ojos que no se ven llega hasta donde La Voz se encuentra y le destroza de un hachazo las cuerdas vocales y ella, La Voz prodigiosa, de intensa curvatura y armónica sinuosidad, enmudece y calla para siempre.

Los pobres dicen que la orden de silenciarla la dieron los ricos del Club francés, porque La Voz los tenía ensordecidos. Pero éstos se defienden y aseguran que el criminal que la acalló es un pobre loco, que odia usar calzado porque sus dedos se hinchan.

Un policía le alcanza a preguntar al hombre del hacha por qué ha realizado la acción que traerá años de horror y él responde:

–¡Ay, señor, son cosas poderosas que no le puedo decir!

–Pero, ¿quién le dio la orden? ¡Dígamelo!

–No puedo.

Las masas trastornadas en la ciudad capital, al saber que su Voz está convertida en una semilla que no germinó, en un pasado sin presente, intentan, como una tromba huérfana y desamparada, volver a oírla entre los pisos de los edificios republicanos y derriban las paredes, la buscan en los campanarios de las iglesias coloniales que se vienen al suelo, esculcan entre los rieles de los tranvías volcados, tratan de encontrarla en los cuarteles de cascos prusianos, pero no la oyen por más que sacuden los repliegues de cien monumentos dedicados a una historia sin raíces.

Benjamín y Amelia, escondidos una noche en el trapiche, otra en la cuadra de los caballos, después bajo los bultos de papa, se enteran sólo de lo que ocurre en campos y veredas.

–Parecen una recua de bestias ciegas –le dice Benjamín a Amelia mientras mira encogido por una ranura.

Pecadores, malditos pecadores, escuchan que les gritan a todos los seguidores de la Voz, a los que cometieron el delito de oírla, de identificarse con sus prometedoras palabras.

–Son los vecinos, Amelia –le dice un sigiloso Benjamín–. Están uniformados de policías y van persiguiendo a los seguidores de La Voz, en el nombre de mi Dios, de mi Monseñor, de mi Partido, de mi Gobierno, de mis Jefes del Club, de mis Amos los dueños de la tierra.

–¿Por qué tantos gritos, Benjamín?

–Porque les están cortando las orejas, los cuellos de toro, las manos encallecidas, los pies curtidos por el barro y los están tirando en el platón de una volqueta.

–¿Dime que más estás viendo? –le pide Amelia, acurrucada a las espaldas de su hermano.

–A las mujeres –le responde Benjamín con voz quedada–, las están ultrajando, y mientras lloran, les rajan el vientre y les arrancan los fetos no va y engendren otra Voz más.

–¿Qué vamos hacer? No nos podemos quedar con los brazos cruzados.

–Vámonos de aquí Amelia, ya andan diciendo en el pueblo que yo tengo la obligación de perseguirte y atacarte porque tu estabas enamorada de La Voz. Vámonos, hermana –le pide Benjamín–, te prometo que no voy a volver a pelearme contigo cuando juguemos a los colores.

–¿Y para dónde nos vamos, si este es nuestro pueblo? Aquí es que soñamos con tener algún día una parcela propia, aquí están enterrados nuestros padres y nuestros abuelos –le dice Amelia.

Ella, rebelde y desafiante, decide vestirse con el traje rojo y llevarse los zapatos crema de tacón alto en sus manos antes de partir protegidos por las sombras de una medianoche de domingo. Aprovechan esa hora en que las pasiones se encierran, los machetes duermen y los miedos descansan. El camino por el que transitan agazapados parece un cementerio, sembrado por todas partes de cruces que los confunden, porque ven tantas que creen que están devolviendo sus pasos. En la búsqueda de una salida de aquella improvisada necrópolis, Amelia toma un callejón y él otro. Ambos avanzan, distanciándose en medio de la oscuridad. Benjamín se da cuenta y desanda sus pasos a ver si la encuentra, pero toma una ruta equivocada, confundido porque todas las tumbas están hechas del mismo abandono. Camina y camina, hasta que amanece sin que su hermana aparezca.

–Amelia, ¿dónde estás? Amelia, ven, no te me refundas que los dos nos necesitamos.

Ella no responde y él sólo escucha el silencio de todos los difuntos sin nombre: No te vayas Benjamín, no nos dejes aquí olvidados. Cuéntanos siquiera quiénes son los responsables de este genocidio, le dicen desde el fondo de los sepulcros.

Que haya un juicio Benjamín. Que no nos sepulten así, con unos rezos de escasas palabras, que no nos borren hasta de las leyendas orales, que no seamos apenas el registro de la amnesia nacional, el botín del olvido, Benjamín. Que nuestros hijos y nuestros nietos sepan qué ocurrió, para que no duerman junto a sus fantasmas irresueltos, a sus historias desocupadas.

Benjamín, que oye las calladas reivindicaciones que brotan de las entrañas de la tierra, de las carnes donde los gusanos se engordan, del fondo de los ojos apagados, de los entresijos de los huesos secos, no tiene respuestas. No sabe qué decir, qué contestación dar. Asustado de oírlos y cansado de buscar a Amelia, avanza por valles, planicies y cordilleras, hasta que meses después, casi desnudo y cercado por el hambre, llega a un caserío de las selvas del oriente, habitado por los indígenas Yagua.

Amelia, quien hurga entre la sementera de lábaros sin encontrar a su hermano, también huchea desesperada su nombre:

–Benjamín, qué te has hecho. Ven para que volvamos a jugar a los colores, ven para que pintemos desiertos rojos y azules.

Pero nadie la oye.

Tras una jornada de varios días de camino por cañones y hondonadas, Amelia llega a la ciudad capital, transformada en una vasta colina de cenizas, alumbrada por una hilera de hogueras tristes a punto de extinguirse. Decenas de corbatas rojas, ruanas ocres y sombreros negros están tiradas en las esquinas, desmintiendo la existencia del tiempo que corre ajeno en el reloj de la Catedral donde las campanas doblan llamando a misa. Ella llora solitaria su desgracia, abrigada apenas por su pañolón rojo. Ya no tiene a Benjamín a su lado, ya no sabe con quién va a jugar a las escondidas y ya no hay un motivo para oír la radio los viernes en la tarde.

Los del Club están reunidos, dicen en sigilo hombres y mujeres que esculcan entre los cascotes en busca de sus compañeros, de sus hermanos, de sus hijos, de sus gentes. El humo del fuego de varios días llega hasta el Club y afecta las gargantas de los grandes jefes políticos que, después de pasar por el ropero a cambiarse sus corbatines grises por los rojos y azules, buscan algún acuerdo en medio de un intercambio de recriminaciones subidas de tono. Un hombre del pueblo colgado de la verja del Club oye lo que dicen los jefes y le cuenta a la multitud lo que escucha:

–Usted, doctor Fernández, es responsable de lo que ocurre porque tiene el control del gobierno, el Estado es usted, haga sentir su autoridad.

–Y usted también es responsable doctor Pedroza, porque ustedes prendieron la mecha cuando llegaron al poder después de cincuenta años de ausencia.

–No, los responsables son ustedes, con esa policía que se inventaron y con su falta de decisión para hacer la reforma agraria que necesitábamos –replica Fernández.

–¿Y ustedes por qué no la hicieron en los años que mandaron? Se dedicaron a anunciarla con bombos y platillos y a la hora de la verdad salieron con un chorro de babas.

–Mire, responsables somos nosotros y son ustedes, hagamos el pacto y anunciémoslo a ver si el pueblo se calma.

–Bueno arreglemos y no se busquen más culpables. Seis ministerios para ustedes mi doctor Pedroza, seis para nosotros y uno se lo dejamos a los militares, que ellos manejen su cosa y asunto arreglado. Llamemos ya a los diarios para que anuncien que llegamos a un acuerdo patriótico para salvar al país, digamos por esta única vez que La Voz y su mensaje serán en adelante un patrimonio compartido a través del ejercicio del gobierno entre nosotros y ustedes –dice don Pedro Fernández.

–Está bien, sacrifiquémonos por el bien del país. Pero eso sí, entre las embajadas nos dejan la de París. Ustedes llevan diez años viendo vitrinas en los Campos Elíseos y comiendo pan en las Tullerías –responde don Fernando Pedroza.

Para finiquitar el acuerdo, para redondearlo, para darle una vigencia más duradera, que trascienda el tiempo, que forme parte de la historia, Fernández y Pedroza se comprometen a construir otro Club.

–Trabajaremos en él año tras año, década tras década, con continuidad y sin descanso, hasta convertirlo en una réplica criolla del palacio de Versalles. Será nuestra obra magna, el monumento a nuestra alianza, el reflejo de una nueva era –dicen exaltados los dos jefes políticos en sus declaraciones a la prensa.

Amelia duerme varias noches en el atrio de la Catedral, hasta que encuentra trabajo de doméstica en la casa de un alemán que unos años atrás ha cruzado el océano, junto a su mujer, adolorido de ver las caravanas de judíos que marchan a las cámaras de gas en Treblinka. Wolfgang Huber no soporta la marcha triunfante de los piquetes de soldados arios de uniformes negros, con la cruz gamada en sus brazos, que tararean exaltados trozos de la cabalgata de la *Walkiria*. Cree que hasta la música está siendo vejada en la Alemania donde reinan Adolfo Hitler y su camarilla.

Para huir de la barbarie civilizada, como él la bautiza, Wolfgang llega a la lejana ciudad parroquial, al otro lado del mar, refundida entre las cordilleras, donde entonces se escucha a La Voz repicar ingrávida aquí y allá. Abre un taller y se dedica a fabricar violines para niños, hechos de arce, abeto y ébano, de excelente factura estética, capaces de producir dulces notas que despiertan la sensibilidad de los corazones de cobre y las almas de hierro que habitan en la pequeña urbe. Wolfgang trabaja con unas manos que se mueven con armonía entre diapasones, puentes, cejas y mástiles. De joven había aprendido, con los viejos maestros de Cremona, al norte de Italia, que el secreto de una buena acústica está en la calidad de la madera y del barniz que use para darle el tono rojizo a sus muchachitos, como llama a los violines.

Es en ese hogar de la música donde se instala Amelia, poco después del cataclismo que sobrevino a la ausencia forzada de La Voz. Ella disfruta en la casa que parece una factoría de sonidos en el día y tiene un ambiente de teatro vienés en las noches, cuando Wolfgang, después de la cena, toca en el piano de media cola la *Sonata Fúnebre* y *Los Veinte Nocturnos* de Chopin. Esas melodías, poseídas por una tensión interior que crece, se multiplica y parece a punto de estallar, conmueven el espíritu campesino de Amelia. Wolfang deja correr sus dedos libres, como aves en vuelo, sobre el teclado, luego bebe un vino blanco acompañado de su mujer, y rememora sus días de infancia cuando iba con su padre a Potsdam, una villa soñolienta refundida entre lagos y colinas, a visitar el palacio de Sans-Souci y observar las terrazas pobladas de viñedos.

Amelia de vez en cuando, para justificar sus lágrimas recurrentes, habla de La Voz inolvidable y de su hermano ausente. Los ojos de Wolfgang se ensombrecen cuando la escucha recordar esos días aciagos. Una mala noche él deja de tocar el piano y tampoco prueba el vino blanco. En adelante las veladas son tristes y silenciosas. Amelia aguza el oído y escucha a sus patrones inquietos.

–Tendremos que irnos –le dice Wolfgang a su mujer.

–¿Y para dónde? –pregunta ella.

–De regreso a nuestra tierra, o a Brasil, o Venezuela, o a México, a algún lugar en donde pueda seguir fabricando violines, porque ahora estos señores del Club sólo quieren que me dedique a hacerles puertas de varias trancas, muchos cerrojos y doble llave para su palacio de Versalles.

–Wolfgang yo no quiero que nos marchemos. Aquí me he liberado de ese miedo incierto que tenía en las noches otoñales de Berlín, he vuelto a dormir en paz –replica ella.

–¿Pero qué hacemos? Todo es un trámite, un papel sellado para cualquier diligencia y ya te dije que yo sé fabricar violines pero no portones. En el fondo, aunque los europeos montaron fábricas en este país antes de la guerra, los del Club no quieren a los extranjeros. A los del Club les gusta viajar a importar modas y estilos, pero no nos quieren aquí.

–Sí, Wolfgang. Pero no olvides que este país nos ha devuelto la alegría. Aquí podríamos quedarnos para siempre.

–Lo que dices es cierto, pero no por cierto suficiente. Te voy a decir algo de una vez por todas: nosotros nos vinimos de Europa para no ser testigos impasibles de un holocausto y aquí estamos asistiendo indiferentes a otro parecido, aunque el mundo no lo sepa.

Amelia escucha tras las mamparas esas conversaciones y se preocupa. Sabe que le harán mucha falta las noches de melodiosa armonía, de piano y vino blanco. Va a extrañar esa música sin letra que toca fibras desconocidas de su espíritu. Así se lo cuenta a Fulgencio, el plomero que destapa cañerías y remienda tubos en la casa de los alemanes. Fulgencio, quien se declara atraído por la belleza tímida y campesina de Amelia, no le cree todo lo que ella le dice:

–Esa música será muy buena mijita, pero no es mejor que un pasillo o que un bambuco.

Con los ojos agachados y los dedos escondidos, Amelia

acepta un sábado en la tarde la invitación de Fulgencio para que vayan al teatro Municipal, donde disfrutan con el arte y la magia del duque de Torrealba, un famoso hipnotizador que viste de sacoleva negro y corbatín blanco. El duque invita al escenario a un grupo de espectadores.

–Vamos a ver, necesitamos aquí a los hombres y mujeres que quieran vivir una experiencia única y milagrosa. Nada más ni nada menos que un viaje en la máquina del tiempo, de regreso a los caminos de su niñez. A ver quién se anima –insiste el hombre de sacoleva.

Fulgencio presiona a Amelia:

–Vaya Amelia. Suba al escenario para yo verla. ¿Sí?, vaya.

–No mijito, qué pena, ni loca que estuviera –le dice ella–. Vaya usted que es macho, ¿si? Vaya Fulgencio, no sea malo conmigo, déme gusto.

Tentado y tras darle otras dos vueltas al asunto, él se decide.

–Por favor le pido al público un silencio absoluto para que nuestros cinco invitados se puedan concentrar. Ahora, queridos amigos que han subido al escenario, siéntense, tranquilos, sin prisa. Cierren los ojos, respiren despacio, lento y profundo, dejen que su cuerpo descanse, se abandone y pongan su mente en blanco, sin ideas, libre, sosegada. Voy a ir contando hasta diez, uno... dos... tres... cuatro... –dice con su voz de bolero el duque de Torrealba a los cinco espectadores que han atendido su llamado.

Ya en ese estado de profunda sugestión, susceptibles a todo lo que él les ordene, el duque los lleva a que revelen sus más ocultos secretos de infancia.

–Mi mamá no me quiere –confiesa Fulgencio instalado en sus cuatro años de edad.

–¿Por qué lo dices? –pregunta el duque con acento paternal.

–Porque ella cuando sale a la calle acaricia y besa a un niño de otro vecindario –responde Fulgencio, quien, unos minutos después, al despertar, no entiende los motivos del sonoro aplauso del público. El duque de Torrealba le habla entonces a Amelia, que espera de pie.

–¿Usted es la novia, señorita? –le pregunta desde su potente micrófono.

–Sí –responde ella, ruborizada.

–Pues inúndelo de cariño, y llénelo de afecto –le pide él, mientras la concurrencia aplaude conmovida. Que se besen, que se besen, grita el público que llena el Municipal.

Un beso va y un beso viene entre Amelia y Fulgencio, mientras en largas caminatas por la calle Real se toman fotos, comen helados y añoran el paso de los tranvías, hasta que un atardecer, cuando la luz del sol abandona el mundo, se entregan al amor:

–Acuérdese lo que dijo el duque –le dice él.

Abrigados por el frío de los pinos sembrados en las montañas, arriba del gran parque, dejan que sus cuerpos hablen en silencio, se cuenten sus afanes y desdoblen sus pasiones sobre la hierba, muy cerca de donde el rocío y la niebla concibieron en las auroras a La Voz arrobadora.

Un mes y unos días después Amelia descubre que espera un hijo. Será el dueño de nuestro amor, le dice ella a Fulgencio. Pero él, aterrado con la noticia, desaparece del escenario, mientras que la mujer de Wolfang, ajena a los avatares amorosos de su querida criada, empaca las maletas.

–No hay marcha atrás, nos vamos porque no aguanto más. Digan lo que digan esto es otro holocausto, aunque aquí no hay trenes sino volquetas, masacres en lugar de bombardeos y machetes y balazos en cambio de cámaras de gas –le advierte Wolfgang a su resignada esposa.

Una noche de domingo él toca el piano y luego, con una paciencia enamorada, lo embala para que lo puedan embarcar hacia su nuevo destino, donde seguramente volverán a sonar los *Veinte Nocturnos* y la *Sonata Fúnebre*.

–Adiós Amelia. Le toca ir a llorar a La Voz hecha verbo y a su hermano perdido a otro sitio –le dice Wolfang a la mañana siguiente, le entrega un sobre y se despide de ella dándole un beso en la mejilla y un abrazo solidario.

AMELIA EMBARAZADA y solitaria camina por la ciudad dando vueltas en un circuito que la lleva desde el monumento a Cristóbal Colón, quien mira más allá del horizonte con sus ojos alucinados, hasta la calle Real, levantada sobre las piedras de la historia. Ella acaricia su estómago inquieto y busca ansiosa a La Voz. Intenta escucharla, descubrir su grito afilado y su eco resonante entre los roncos silbidos de los trenes que parten de la estación de la Sabana, en el trote acompasado de los cascos de los caballos que tiran la carreta de gaseosas Leona, en las brumas del viento frío que desciende de los cerros del oriente. Pero no la oye. Entonces busca a Benjamín en los ojos huidizos que la rodean, en las ruanas grises, en las corbatas oscuras de doble nudo, en los sombreros negros, en los paños foscos de los vestidos de tres piezas, encima de los zapatos que tallan, y tampoco lo ve.

Prende un cigarrillo Pielroja, que inunda sus pulmones del humo del consuelo y mientras lo expira despacio, en pequeñas bocanadas que forman círculos en el aire, llora unas lágrimas distintas, las lágrimas de la decisión. No más lamentos por Benjamín, se advierte a sí misma, no más añoranzas de La Voz, no más nostalgias del pueblo levantado por los abuelos que quedó atrás, no más trabajos con inmigrantes porque cualquier día se marchan y no más Fulgencios de unas horas. Voy a construir mi propia historia, junto a mi hijo que lo es todo, voy a ser el padre y la madre de mí misma y de la criatura que va a nacer. Voy a ser yo, Amelia Zipagauta, una mujer capaz de manejar su vida. En adelante este será nuestro credo y nuestra verdad, le dice a su vientre que se expande.

Con sus ahorros y la plata que le entregó Wolfgang en el sobre, Amelia da la escasa cuota inicial para la compra de un lote de terreno a Eulogio Fierro, un joven activista político que de niño alcanzó a seguir a La Voz, a formar filas escuchándola y a reclamar su partida. Eulogio se apropia de las extensiones de tierras baldías al oriente de la ciudad, mete cerca, traza urbanizaciones piratas y consigue la financiación en el banco de los Urueña para cada lote de tierra, siempre y cuando le garanticen el voto en las elecciones por sus jefes políticos, los del Club. Mi filosofía, aprendida de don Pedro Fernández y don Fernando Pedroza, es una sola, dice: todo hombre tiene su precio.

–Yo le voy a recomendar a una comadrona negra, de dientes tan grandes y tan blancos que le roban la cara, para que la ayude cuando vaya a parir –le dice Eulogio a Amelia–. Esa mujer ha traído más chinos a este mundo que los tres hospitales de la ciudad juntos, y no se le ha muerto uno solo.

–Pues se lo agradezco don Eulogio porque voy a dar a luz aquí en mi casa –responde Amelia, que levanta su rancho con unas tablas de madera y monta un expendio de chicha, la bebida ancestral hecha de maíz.

–Usted va a parir un hombre, se le nota –le asegura Eulogio con aires de convicción mientras le observa el estómago crecido.

–¿En qué se me nota? –le pregunta ella incrédula.

–En la barriga, Amelia. Mire que la tiene hacia adelante, estirada, como en punta, así es cuando va a ser un niño. Cuando es una niña las señoras se ponen más cuadradas, caderonas, se estiran hacia los lados. Lo sé porque he sido padrino de bautizo de muchos niños de la ciudadela Córdoba y mirando a mis comadres embarazadas aprendí a distinguir.

–¡Ayayay Virgencita de la Laguna! ¡La cintura se me va a romper!, ¡me duele hasta el alma! –grita Amelia, mientras recibe ayuda de la comadrona un domingo en la madrugada.

–No grite ni hable, porque se le devuelve el bebé mi señora Amelia –le pide la partera mientras le abre hacia los lados las piernas recogidas, forzándolas con sus manos puestas sobre las rodillas–. Puje, mi señora Amelia, puje sin descanso, como si estuviera en el baño.

No voy a gritar, piensa Amelia, si lo hago se me regresa.

–Otro esfuerzo más, otro hervorcito y ya –le dice la negra–. Ahí viene, ahí viene. Vamos para afuera que la vida te espera –dice la comadrona, que grita emocionada–: ¡Es un niño!, ¡es un niño!, un varoncito que hará feliz a las mujeres.

–Que yo sea la primera de todas –dice Amelia.

–Salió negrito –le contará ella horas más tarde a Eulogio–, cubierto en sangre, cansado de tanto esfuerzo para nacer, porque al niño también le toca duro. La criaturita, no crea Eulogio, también sufre para encontrar la salida.

Amelia está llena de contento, aunque los dolores en la espalda todavía repican. Sus ojos tienen el color de la plenitud. Reina, señora y madre, fuente del prodigio de la vida. Amelia ha dado a luz en la choza de madera, alumbrada con el fuego de una mecha de aceite. Los vecinos la rodean, le ofrecen su enhorabuena y le traen mantas rojas y azules de regalo. Eulogio se aparece con un ramo de rosas rojas, un trío que canta *Las mañanitas* y una botella de aguardiente de la que beben él y los músicos, para redondear la celebración.

–¿Y cómo se va a llamar el niño? –le preguntan a Amelia.

–Se va a llamar Agustín Enrique, para que tenga nombre de santo y nombre de rey –responde ella mientras arrulla al pequeño en su regazo, después de que la comadrona rompe el cordón umbilical y lo baña con el agua de dulces yerbas:

albahaca, romero, cidrón, yerbabuena, diosme y ruda, para purificarlo como enseña la tradición. Se sella así el comienzo de una nueva historia, amarrada, como todas las historias, a un extenso y múltiple pasado que ahora se hace presente. Una escondida suma de pretéritos salen a flote, recobran su vigencia y se adhieren, como la marca de un hierro caliente, en la piel del alma de Agustín Enrique.

Amelia se reencuentra con la ilusión, gracias a su trabajo y a la presencia de su hijo, que deja en el día al cuidado de la comadrona para poder atender la chichería. Allí se escuchan, a través de la emisora HJCK, las melodías que Wolfgang interpretara en aquellas veladas que Amelia rememora emocionada, cuando él bebía un vino blanco y se sentaba al piano. Ella le sube el volumen al radio y disfruta invitando a sus clientes a que gocen esas sinfonías que parecen dulces lamentos que deambulan por serranías inexploradas. Así no olvida a Wolfgang Huber, el alemán que cuando dejaba a sus dedos cobrar vida propia se convertía en un hombre libre de angustias. Con esa misma devoción Amelia sepulta más allá del último repliegue de su ser la imagen de Fulgencio, le cierra todos los caminos para no dejarla vivir ni por un momento entre sus recuerdos.

Desde muy pequeño Agustín Enrique, que enfrenta primero un agudo ataque del sarampión y después unas paperas que le crecen como manzanas, ayuda en todas las tareas. Acerca los ladrillos que no logra alzar sino que empuja, mientras juega a que son los carrotanques que traen el agua una vez al mes a la ciudadela Córdoba. Colabora pelando las mazorcas y desgranando el maíz, mientras va a la escuela a aprender a escribir y leer las primeras vocales y las segundas consonantes. Nada más. Apenas crezca un poco habrá que trabajar de lleno en algún oficio para ayudar al sustento del rancho, a pagar las deudas del lote, del otro préstamo que permite levantar la casa, y para aliviar el bolsillo de Amelia, agobiada por la voracidad de los policías que religiosamente se dejan ver por allí a recordarle que la venta de chicha está prohibida.

Un jueves en la madrugada, el naciente barrio despierta con los ladridos de los perros amaestrados y la bronca de los policías, encabezados por el alcalde, que llegan a expulsar a Amelia y sus vecinos.

–Fuera de aquí invasores, estas tierras tienen dueño, afuera todos –gritan los agentes del orden, mientras blanden sus bolillos y tiemplan los collares de los perros que ladran agitados.

–¿Cómo así? Nosotros somos propietarios –responden Amelia y sus vecinos–. Aquí están nuestros papeles –dicen y exhiben unos folios escritos a máquina, con membrete de la urbanizadora Fierro, que certifica que han comprado sus terrenos.

–¿Cuál constructora? El tal Fierro debe ser un pícaro –reclama el alcalde exaltado–. La policía va a proceder a expulsarlos.

–Nosotros tenemos nuestros papeles y de aquí sólo salimos con los pies para adelante –le responde Amelia.

La policía lanza gases lacrimógenos, suelta los perros que muerden a varios niños, reparte bolillo, dejando algunos heridos, en una batalla campal que se prolonga por varias horas. Pero Amelia y sus amigos no ceden y el alcalde se marcha junto a los policías. Los vecinos montan fogatas y en adelante se distribuyen por turnos de guardia para no dejarse sorprender. Amelia organiza un mitin de protesta frente a las oficinas de Eulogio Fierro, recordando en sus arengas a La Voz, recia y segura.

–Es La Voz quien nos inspira en esta brega –gritan.

–Mi querida Ameliecita, ¿qué le pasa? Tranquila por favor, que esto se arregla –le dice Fierro, con sus manos gruesas, de uñas sucias, colgadas de sus pulgares al chaleco.

–A nosotros nos quieren robar la tierra y no lo vamos a permitir –le responde Amelia–. O nos arreglan esto o no votamos en las próximas elecciones –le dice, mientras sus compañeros dan vivas a La Voz.

Fierro, asustado, como le contará él mismo a la propia Amelia tiempo después, va hasta el Club y pide audiencia con don Pedro Fernández, quien lo recibe en el salón de San Alejo, al que se accede por una trastienda. Fernández está ocupado trazando el plano de la caballeriza del palacio de Versalles criollo y seleccionando en una enciclopedia los carruajes, los trineos y las berlinas que van a tener allí, por eso recibe de mala gana a Eulogio, quien ha advertido que se trata de un asunto urgente, con préstamos del banco de los Urueña y votos de por medio. Enseguida de las venias de rigor, el urbanizador le cuenta a su jefe de corbatín gris lo ocurrido y le recuerda cuántos electores pueden perder. De inmediato se organiza una reunión en el Club con el alcalde.

–Ala, ayúdanos a arreglar esta vaina tan sobada –dice don Pedro Fernández–. Nosotros no podemos permitir que Urueña tenga problemas ni que los votos se esfumen, que las bases del partido nos abandonen y, menos todavía, que resuciten la memoria de esa Voz bruta, sin relieves y sin tonada, que tanto daño nos trajo. Usted sabe mi guachecito que el recuerdo de la Voz esa hay que mantenerlo sepultado. Si acaso lo revivimos en la víspera de las elecciones, no más.

El alcalde, diligente con los señores del Club, da marcha atrás y firma el acta pública mediante la que se legaliza el barrio de Amelia y sus amigos, al que bautiza con el nombre de barrio Eulogio Fierro. Sin embargo, los vecinos siguen llamándolo barrio Obrero, uno más de la ciudadela Córdoba, y así se le conoce hasta el día de hoy.

La historia de la lucha en defensa de los lotes del barrio Obrero corre de boca en boca, alimentada en su ruta oral por la imaginación sin medida del vecindario, dando nombre y celebridad a doña Amelia.

–Amelia no sólo conoce los secretos para preparar la mejor chicha del oriente de la ciudad, sino que se la juega por nosotros –dice uno de los vecinos.

–Claro –afirma otro–. Y además es muy noble, perdonó al vergajo de Eulogio, que sigue viniendo al barrio, como Pedro por su casa, a conseguir votos.

De pañolón terciado y pequeña estatura, Amelia parece una paloma madura. Maneja a sus clientes en la chichería con desenvoltura, llamándolos siempre por sus nombres. La timidez de los días en que apareció Fulgencio quedó atrás. Se sienta con ellos a la mesa, hace chistes, le encanta hablar de política y recuerda los resultados de las elecciones de juguete, como las llama ella. En más de una ocasión, sus datos resultan más ciertos que los del propio Eulogio Fierro, que de vez en cuando se aparece en la chichería a saludar a doña Amelia y los vecinos y a dar instrucciones para los próximos comicios.

–Esta vez vamos a votar –dice Eulogio–, por las listas y por el candidato de don Pedro Fernández. Así lo ordenó desde París el propio doctor Pedroza; dice que es como si votáramos por él.

–Un voto así no es ni chicha ni limonada –le advierte Amelia molesta–. Si siguen con eso, cuando legalicen el Partido Comunista y acabemos de pagar las deudas nos va tocar votar por ellos que sí vienen seguido a visitarnos.

–No me diga que usted se va a volver comunista porque la excomulgan –le reclama Eulogio–. El Partido Comunista, que cuenta con cuatro gatos, hace rato que está legalizado; lo que pasa es que aquí muchas cosas son legales y prohibidas a la vez.

–¿Ve como cambian las cosas? La Voz decía que lo legal, legal era.

–Sí, pero la Voz ya no se oye así uno tenga el radio prendido todo el día.

–Oiga Eulogio, cuénteme de una vez lo que nunca me ha querido contar. ¿Si fueron los del Club quienes le facilitaron el hacha al loco ese?

–Ellos dicen que no y a la gente hay que creerle. Pero lo cierto sí es que le echaron leña a la hoguera, con la mala propaganda que le hacían a La Voz.

–Mire Eulogio lo único que le digo es que yo no voto por los godos, prefiero al general ese. Fíjese que cuando se desmadró la cosa después del primer pacto y él se puso a gobernar, llegó la ruta de buses al barrio y empezaron a darle leche y pan a Agustín Enrique en la escuela.

–Con ese general también hubo cierres de periódicos y violencia contra los estudiantes. Acuérdese de mí, si él gana los del Club no lo dejan subir.

–¿Pero cómo así? Cuando ellos lo nombraron sí se podía, pero si lo escoge el pueblo no se puede.

–Exacto Amelia. Aquí si el pueblo vota en contra de lo que quiere el Club, pues el Club escoge. ¿O para qué son los pactos entonces?

–Por eso es que tantos muchachos se están yendo pal'monte, a echar bala, con razón dicen en los pasquines que tiran por debajo de las puertas que ésta es una democracia de papel.

Eulogio Fierro y Amelia Zipagauta mantienen su diálogo, ajenos a la conseja que los ronda, los sigue y los persigue. Hay quienes dicen que ellos viven un secreto romance desde cuando él vendía los lotes. Pero nadie lo confirma. Es un rumor vago que aparece y desaparece, que se va y regresa sin que nadie asuma su paternidad. Rumor, al fin de cuentas, huérfano de certezas.

El único amor público, del que no hay dudas, es el que tiene doña Amelia, como la llaman en el vecindario, con su hijo, que siempre está a su lado. Ella lo lleva a todas partes. A la plaza de mercado, a ver el circo, a que la acompañe a votar el día de las elecciones, a las reuniones comunitarias.

Agustín Enrique, apenas entrando a la adolescencia, ya es un diestro ayudante de albañilería. La realidad lo obliga porque la deuda del lote y el crédito para transformar el rancho en una modesta casa han sido contraídos con el sistema de las hijuelas que utiliza la banca de los Urueña para financiar a uno y mil deudores.

–En principio –le explica el gerente del banco a Amelia cuando le aprueba el crédito–, se firma un pagaré dividido en 180 cuotas mensuales. Cada que se pagan veinte cuotas hay que firmar otras doce adicionales, conocidas como las hijas de las veinte iniciales. El sistema de las hijuelas es una de las grandes innovaciones que los señores del Club, en asocio con los Urueña, han diseñado para cumplir con su propósito de dar vivienda a todos. Ser propietario es un honor que cuesta mi señora –le dice el hombre encorbatado, que habla paseándose de una pared a otra en su oficina de vidrio, desde la que mira a todos sus empleados.

–No entiendo bien –le dice Amelia–, pero aquí le firmo.

La casa de Amelia tiene un amplio local de dos puertas, destinado a la chichería. El piso es de barro apretado, hay un mostrador hecho en ladrillo, un orinal de tres puestos para que la clientela no orine, como lo hacía antes, en la calle, y un pequeño cuarto de fermentación donde están las canoas, los bultos de maíz, las canecas de agua y los sacos de azúcar. Una puerta de hierro comunica a la chichería con la vivienda que gira alrededor de un patio sembrado de azucenas, garzas y begonias. Una habitación de paredes estucadas, con una ventana que da a la calle, sirve de dormitorio a Amelia y a su hijo. Otra más, hecha de tablones, le da cobijo a la comadrona cuando se queda en casa. En uno de los costados está la cocina, epicentro de la vida social de la escasa familia.

A sus trece años de edad, Agustín Enrique tiene la nariz achatada, los ojos negros, la piel canela y unas piernas de atleta que sostienen un cuerpo frágil. De su pelo oscuro cuelga un extraño manojo de canas sobre el lado izquierdo. Ya sabe abrir zanjas, preparar cemento y está aprendiendo a pegar ladrillo, a levantar paredes y a armar columnas. Amelia, desde el principio de los días, le advierte una y mil veces:

–No hay mayor fortuna en la vida que aprender a dominar un oficio.

Y él, convencido de ese imperativo, y consciente del agobio que las hijuelas le traen a Amelia, asume la sentencia de su mamá:

–Tranquila mamá, que cuando esté más ducho, le voy a pedir a don Eulogio Fierro que me ayude a conseguir trabajo en la constructora de los Urueña.

–Eso mijito, lo felicito, así es que un hombre se abre camino –le dirá Amelia cuando lo ve llegar, tres años más tarde, con la copia de su contrato de trabajo con la Constructora Urueña.

Agustín Enrique no tiene otro destino al frente, el camino es ése. Le toca dar el salto con garrocha que lo lleva de las rondas de la chichería y la cuadra del barrio donde se refundió su inocencia infantil y su afán de descubrir el mundo, al frontal por donde camina la falsa convicción de los adultos prisioneros de sus rutinas. Despojados de los bríos de la juventud, sin el don precioso de la curiosidad, sin la sana vocación para dudar, para preguntar. Con todo resuelto. Lo que fue, fue.

Doña Amelia, con disciplina andina y paciencia a toda prueba, urgida del aporte económico que pueda hacer su hijo, lo despierta durante esos primeros años de trabajo en las frías madrugadas para que él vaya a cumplir sus labores.

–¿No es cierto vieja, que algún día yo tendré plata suficiente como para no tener que levantarme tan temprano? –le pregunta él.

–Sí mijo, claro que entonces le tocará madrugar a cuidar lo que tiene.

–¡Que va!, dicen que el hijo del doctor Urueña nunca llega a su oficina antes de las diez de la mañana.

–¿Pero quién sabe desde qué horas está despierto, mijo?

En medio de la conversación, doña Amelia le sirve a Agustín Enrique el tempranero desayuno: un jugo de naranja enriquecido con dos huevos crudos, cuyas yemas se encogen al cruzar su garganta, y un envuelto de maíz. Así, sin ningún cocimiento, los huevos dan energía para todo el día, asegura el recetario popular. Amelia, además del desayuno, le carga el portacomidas a su hijo con el almuerzo que le ha preparado desde la noche anterior al cerrar la chichería.

–Nombre de Dios, mamá –le dice él antes de partir.

–Dios lo bendiga hijo –le responde ella, que queda en pie, lista para iniciar su día de trabajo.

Agustín Enrique ya no es el adolescente tímido y asustado que sale a trabajar de madrugada y regresa por la noche. Ahora, aunque sus horarios son los mismos, es un reconocido albañil que trabaja con los Urueña y a quien sus vecinos consultan sobre las obras que van a adelantar en sus casas siempre en construcción: una pieza para las tías, una cocina más amplia, otro baño porque uno sólo ya no alcanza para tanta gente, una terraza para levantar otro cuarto y alquilarlo, una fachada para que el frente no se vea tan pobre, en fin. En el barrio, con una mezcla de reconocimiento y zalamería, le dicen Maestro.

El hijo de Amelia empieza a ponerle el ojo a Ruth, una joven de ojos que parecen dos panelas, de piel morena y cuerpo apretado, que ha llegado al barrio Obrero con su madre y sus cinco hermanos, a vivir en uno de los nuevos inquilinatos.

–Esa muchacha casi no me gusta, Agustín Enrique –le advierte Amelia–, seguro que no es capaz de preparar un chocolate. Dicen que el papá era un policía que murió en un tiroteo con el tiburón Arias y mijo sabe que yo a los policías no me los trago. Siempre llegan a la chichería con el cuento de la prohibición. Pero vienen es a emborracharse gratis y a raparme las utilidades de toda una semana.

–Sí mamá. Pero fíjese que el papá era un buen policía, lo mató un bandido como el tiburón Arias. En todo caso, el policía era el papá no ella.

–Mire, mijito, de tal palo tal astilla.

El tiburón Arias es, mientras vive, el jefe de una banda de asaltantes de bancos. Tiene por lo menos tres identidades distintas. A veces usa barba y bigote, otras veces sólo barba o sólo bigote. Viste de impecable corbata y habla con sus secuaces desde un teléfono público. Se rodea de mujeres bellas, una de ellas de piernas tan delgadas como unas pinzas. Cuando va a beber deja su revólver a guardar en la tienda de la esquina, donde lo conocen como el doctor Barcillas, le fían, elogian sus buenas maneras y lo consideran un vecino ilustre.

Cuenta la leyenda popular, publicada en las páginas de

sucesos del más viejo diario del país, que Arias es un consumado nadador, acostumbrado a esconder el dinero de sus atracos en bolsas impermeables amarradas a ladrillos en las profundidades del lago de Cumaripa, al oriente de la ciudad. Una noche, el Tiburón Arias intenta resguardar en el fondo del agua varias bolsas repletas de billetes de doscientos pesos, tras enfrentar en la mañana un tiroteo con una patrulla de policías a la salida del banco, pero lo sorprenden unos agudos calambres, no se puede recuperar y se sumerge, abrazado a su tesoro, en el fondo del lago. Dos generaciones de muchachos de la ciudadela Córdoba se meten desde entonces al agua en busca del legendario botín. Pero sólo pescan resfriados y pulmonías.

Agustín Enrique, en definitiva, se enamora de la hija del policía que fuera capaz de enfrentarse al Tiburón Arias. Es su primera novia.

–La mujer de mi vida –le dice a su mamá.

–No sea pendejo mijo –le responde Amelia, diga más bien que es la única que ha conocido.

–Que ese obrero no me gusta, mija. Usted debería buscarse otro hombre, con más ambición, no un albañil que albañil se queda –le reclama la mamá a Ruth.

–A mí me gusta mucho, es buena gente y muy trabajador.

–Qué buena gente va a ser. Igual de engreído que la Amelia esa que se cree mucha vaina por ese rancho y esa chichería que tiene. Si su papá viviera mijita, ya se la habría clausurado hace rato. Comen de las apariencias, de la historia de cuando no se dejaron quitar los lotes. Como si no andaran del culo con las hijuelas, como si uno no supiera que esas deudas se engordan tanto que es mucho más lo que le deben al banco que lo que les valen esas cuatro paredes.

Una madrugada de martes, mientras Agustín Enrique se toma el jugo de naranja con huevos crudos, le suelta la noticia a doña Amelia.

–Mamá, yo me voy a casar con Ruth.

–Allá usted, esa muchacha deber ser como la mamá, una vieja lengüilarga, convencida de que sus hijas son unas princesas y ella la reina madre.

–Que me voy a casar mamá.

–Entre más le diga que no, más lo va a querer hacer.

–Mamá, los tres vamos a vivir juntos, sumercé, Ruth y yo, vamos a pasarla bien y tarde o temprano va a tener sus nietos.

–Hum, cómo irá a ser ese nido de amor, con dos pájaras adentro y otra jodiendo desde afuera –le respondió con perdedora ironía doña Amelia.

La decisión de Ruth y de Agustín Enrique está tomada, nadie los va a detener. Las hermanas de Ruth se dedican a alistar el vestido de la novia, a elaborar las tarjetas de invitación con un par de corazones flechados, a conseguir discos prestados con los vecinos. Doña Amelia, con la chichería patas arriba, limpia y pinta el local para la fiesta. Por ahí se asoma, como quien no quiere la cosa, la mamá de Ruth, entregada a preparar el vestido blanco de la novia, hecho de seda, con canutillos estirados y prenses apretados.

–Vea cómo me clavo el cuchillo en mi propio estómago –le dice Amelia a la comadrona negra cuando ésta se aparece de visita en la chichería.

–Ay mi doña Amelia, la vida sí se nos va volando –señala la comadrona con la cara refundida entre los dientes–. ¿Quién va a creer que mi niño Agustín Enrique ya está en edad de matrimonio?

–Acuérdese mijito que la fiesta dura un día y el matrimonio toda la vida –le advierte Amelia a Agustín Enrique, en un último y pobre intento para que se devuelva y desande sus pasos. Pero no, él sólo quiere que llegue ese sábado de las ilusiones.

La iglesia, prestada para la ocasión, queda en un barrio al centro de la ciudad. Fue levantada, gracias a la perseverancia de un virrey, en piedra traída desde los socavones rocosos del norte de la sabana, con arreglos en cal y rafas de ladrillo. Tiene tres naves de techos circulares, decoradas dos de ellas, en sus paredes laterales, con obras de pintores anónimos de la época de la Colonia. El retablo principal está enchapado en plata y el cáliz sagrado se guarda en un tabernáculo con pliegues de oro puro. La imagen de la Virgen de la Laguna, de rostro macilento, tiene un ligero brillo en sus ojos mustios, gracias a los cuidados que le prodigan desde la primera hora de la mañana las hermanas de Ruth.

La ceremonia la preside el padre Carlos, un joven sacerdote nacido en un pueblo de la vega del gran río, que viajó a España a ordenarse, trabajó luego en las comunas obreras en París, y volvió otra vez a la península a realizar estudios con los jesuitas. Pero regresó, desencantado del largo sometimiento de la Iglesia oficial a la dictadura del Generalísimo.

Carlos, de sonrisa franca y frente abierta, trabaja hombro a hombro con la comunidad. Les ayuda a trazar la ruta de las cañerías, a cubrir de piedras los lodazales en el invierno, a construir la primera escuela del barrio y a montar las redes del agua.

–Sin agua no hay vida –les dice el joven religioso que crea un grupo de teatro infantil, recorre todo los barrios de la ciudadela Córdoba, que muy pronto conoce con todas sus calles y recovecos, dibuja con lápiz, en cualquier papel a la mano, a los vecinos y les regala esos retratos de rasgos surrealistas.

Carlos tiene una miopía pronunciada que esconde detrás

de sus gafas de gruesos lentes. Dueño de una energía sin límites, parece un parque: siempre dispuesto para jugar. Los niños corren detrás de él, y él les reparte monedas, dulces y retoza con ellos a calle abierta. ¡Padre! ¡Padre!, le gritan los chiquillos del barrio Obrero cuando lo ven. Todos corren a su lado, se agarran de su sotana rogándole que no se vaya, que no los deje solos, que se diviertan juntos hasta el fin de los tiempos.

El sacerdote es puro corazón. La gente lo quiere y le cree. Hace sus misas de domingo al aire libre con la participación de una banda de músicos del barrio, él mismo toca la guitarra, invita a los fieles a que se den abrazos de reconciliación y a que prendan velas verdes, y en su interpretación del evangelio siempre trae a colación citas de personajes que, según jura doña Amelia, sólo existen en la febril mente del cura.

Esta vez, al hablar de la sagrada unión entre Agustín Enrique y Ruth, el sacerdote dice que el Profeta de los Bosques advirtió que el matrimonio era la voluntad de dos para crecer siendo uno. Pero no podemos olvidar, recuerda el padre Carlos, que el Profeta de los Bosques también nos enseñó que muchas veces el matrimonio no es más que una gran miseria espiritual construida durante años con redoblada paciencia, digna de mejor causa.

Durante la fiesta lanzan voladores a los cielos, explotan triquitraques, bailan sin descanso y comen sin remilgos. La policía llega y participa de la gran comilona. El cabo que comanda la patrulla brinda varias veces con Eulogio Fierro, a quien le presta el revólver. Eulogio empieza a disparar, abre varios agujeros en el techo y espanta durante un rato a los invitados, hasta que fundido de la borrachera sale gateando, vomita casi hasta estrangularse y enseguida se acuesta en el asiento trasero de su Studebaker de los años cincuenta.

Al día siguiente, cuando despierta con la resaca viva, su saco manchado, el carro oliendo a pestes, y le muestran las troneras que abrió en el techo de la chichería, Eulogio se sorprende.

–Perdóneme Amelia, perdónenme por el escándalo de anoche, les juro que no me acuerdo de nada y les prometo que voy a cubrir todos los gastos que ocasionen las reparaciones.

–Tranquilo –le dice ella–. Pero no se le olvide que uno bebe para divertirse no para que la bebida se divierta con uno.

Agustín Enrique y Ruth van de luna de miel, durante los tres días de permiso remunerado que le otorgan en la constructora de Urueña, a San Miguel, una ardiente población a dos horas de la ciudad capital.

Allá, en un hotel huero y silencioso, donde Agustín Enrique tiene la sensación que ellos dos son los únicos huéspedes, él descubre qué es amar a una mujer virgen. Ella, tímida y pudorosa, se entrega y llora en medio del coito, que él maneja con toda la delicadeza posible, recordando la recomendación que su madre le ha hecho entre brindis y brindis, durante la fiesta del sábado.

–La primera noche trátela como a una flor, después usted verá cómo se comporta.

–Ruth, le quiero preguntar una cosa pero me cuenta la verdad –le dice él la tarde del lunes, mientras se bañan en las aguas de un riachuelo que bordea las afueras de San Miguel.

–Yo a mi amor siempre le digo la verdad.

–¿Por qué lloró? ¿La lastimé? ¿Le dolió?

–Lloré por amor.

–¿Y por qué?

–Es que el amor duele, Agustín Enrique y no me pregunte más esas cosas –le replicó Ruth, quien sin hacer mucho ruido se había salido con la suya.

–A que me quedo con el maestro de obra, así doña Amelia y mi mamá no quieran –le había dicho Ruth a sus hermanas.

–A que no te dejan –le respondieron ellas.

–A que sí, porque me voy a casar es con él. Se trata sólo de llevar el asunto con silencio, con equilibrio y con ritmo.

–Ya empezaste con tus pendejadas sacadas de esos libros esotéricos. ¿Para qué te va a servir el silencio con un hombre como Agustín Enrique?

–Porque mientras menos hable, más me va a buscar la conversa.

–¿Y el equilibrio?

–Para no exagerar, mejor dicho para que él no diga esta Ruth ya es mía, y para que tampoco pueda decir lo contrario: esta Ruth nunca va a ser mía.

–¿Y el ritmo?

–Para enseñarle a bailar, para marcar el paso cuando caminemos juntos, para hacer el amor, para todo –respondió muy segura Ruth.

MIS PADRES son Agustín Enrique, el obrero de la constructora de los Urueña, y Ruth, la mujer que predica el silencio, el equilibrio y el ritmo. Y yo soy Agustín Zipagauta, el soldado. El benjamín de la familia, que vino al mundo cuando mi hermana Alejandra ya era una pelada de dieciséis años de edad. Nací el día de San Gregorio y fui bautizado tan pronto mi madre tuvo alientos para ponerse en pie.

Mi bautizo se celebra un domingo de enero. La parroquia, construida tras veinte años de ahorrar limosnas, está repleta de invitados y curiosos y la ceremonia la preside el padre Carlos, quien todavía conserva intacta su alegría aunque ya es más lento para jugar al fútbol. Al rociar con agua mi frente, como me lo ha contado mamá Ruth muchas veces, el curita empieza a hablar de uno de esos personajes que sólo él conoce.

–No nos olvidemos que todo en el niño lo reprimimos, como nos enseñó el Brujo de Viena. Ojalá que con este Agustín que hoy bautizamos no se copie esa historia que tantas veces el ser humano ha repetido –afirma el religioso, exaltado con su discurso.

–Bienvenido Agustín a este mundo, a este tiempo, esta sociedad y este hogar, de los que nada sabes y frente a los que no tuviste opción alguna de escoger –clama el cura emocionado y alza al pequeño hasta donde sus brazos se lo permiten, para luego entregárselo a Ruth y Agustín Enrique.

Los invitados aplauden y doña Amelia algo encanecida y con sus recuerdos vivos de los años que pasó al frente de la chichería, le pide que los acompañe al brindis que hay en casa con una copa de vino y una torta gigantesca, sobre la que han escrito, con salsa de fresa, Feliz Bautizo Agustincito.

Allí está el pequeño Agustín en medio de un corrillo de adultos. Es apenas un trozo de carne de minúscula nariz roja, ojos que parecen dos gotas de petróleo, dedos diminutos y arrugados, poseído por un infinito deseo de aferrar su boca eternamente a los pezones de su madre.

A los tres meses de edad sufre un virus que lo arrincona. Todo su cuerpo se brota y Ruth tiene que correr al hospital, donde lo internan en cuidados intensivos durante dos días. Al final se recupera de la afección y regresa a casa. En adelante, cada vez que su madre lo deja solo mientras atiende a Agustín Enrique, al pequeño le dan unos extraños ataques. Empieza a llorar con toda la ira posible para sus escasos días, se pone primero blanco como un muñeco de nieve y después morado como un frasco de tinta. Parece dispuesto a no seguir viviendo, hasta que doña Amelia encuentra el remedio. Hay que rociarlo con agua fría, como hizo el padre Carlos durante el bautizo, y de inmediato el niño resucita.

Agustín está ahora en el liceo; los primeros años se han ido y él contempla a Ester sentada en el salón de clases, con las piernas cruzadas, mirándolo, cuando él suelta la historia trastornada de Julio César y Nerón, que despierta la ira santa del profesor Aristizábal.

–Discúlpeme, pero es que no soporto la altanería de este muchacho –le dice Ezequiel Aristizábal a Ester, mientras saca a Agustín del salón–: ¡Afuera, zángano!, usted no va a convertir mi clase en una plaza de mercado. ¿Quién se ha creído este pendejo? –le pregunta el maestro que tira la puerta del salón, sin esperar respuesta alguna.

Ezequiel Aristizábal es el mentor con cara de cuchillo, de cabellos gruesos y rebeldes que doma con jugo de limón. Director de la banda de guerra, Aristizábal es el implacable guardián de la disciplina y el orden. Su vozarrón recio tiene ya una historia punitiva en el liceo. De su poder de sanción conocen los alumnos, de su costumbre de rajar en su materia, historia universal, saben los estudiantes, de su decisión a la hora de hacer expulsar al que considere incorregible o autor de una falta irreparable están advertidos decenas de muchachos. No hay premio sin castigo, reza una de sus máximas.

Gracias a los clásicos de fútbol, donde Agustín juega de puntero derecho y el mono Guillermo, su mejor amigo, de medio campista, es que Ester se empieza a fijar en el nieto de doña Amelia. Las peladas acompañan los partidos, hacen barra y miran la que para ellas es apenas una diversión más.

–Qué pendejada –dice Ester–, veintidós machos corriendo hechizados detrás de un balón durante hora y media, podían darle un balón a cada uno y se acababa el rollo.

–Es que tú no sabes de fútbol, tienes que aprender Ester –le replica Agustín–, para que puedas describir, como lo hacen los duros del micrófono, qué es un crack. Si te preguntan a qué juega el mono Guillermo, tu podrías despacharte así: El mono es el patrón del equipo, siempre con el balón en los pies y la vista en alto, reparte el juego, maneja los tiempos, cabecea como con la mano, nunca se lesiona y tiene una zurda prodigiosa que le sirve para lanzar disparos al arco que parecen misiles. Si te refieres a mí, dirías que Agustín es un punta muy rápido, capaz de pelear todos los balones, con habilidad para meter centros y para clavar la pelota de vez en cuando en la red.

El despliegue físico de Agustín en la cancha, su irreverencia en el salón, junto a su insistencia, hoy una flor de pétalos amarillos encima de su pupitre, mañana un grafito en la pared sur del liceo, pasado mañana un poema en el tablero (Ester, cuando tú no estás/ hasta el viento llora tu ausencia), parece que terminan por doblegar el corazón juvenil de la bastonera de la banda de guerra.

Nunca antes, pensaba Agustín sumergido en su refugio en la víspera del ataque, mientras escuchaba a Tierradentro dar órdenes, ha sido tan feliz como esas tardes de sábado en el salón comunal. Qué placer bailar con ella algún clásico vallenato. Qué goce sentir tan cerca el cuerpo de Ester, expresando con callados gritos su deseo de ser una hembra capaz de despertar pasiones en todos los hombres. Qué gusto verla con sus tetas todavía en formación, como dos ciruelas apretujadas contra la blusa negra, a punto de romperla para salir de allí y seducir al mundo. Qué placer contemplarla meneándose íntegra, como si la música y ella fueran un solo ser embriagado de tantas ganas de vivir.

Agustín y el mono Guillermo comparten sus días y sus cuitas. Guillermo goza de ascendencia sobre él, parece su hermano mayor, es su guía en los asuntos inmediatos de la vida. Esa amistad honra a Agustín, le da seguridad.

Es el mono Guillermo quien inicia a Agustín en el secreto rito de los fumadores de marihuana. Aspire así loco, fresco que no le va a pasar nada, le dice una tarde en que se han adentrado, con otros compañeros, en los potreros de Palonegro, un inmenso pastizal atravesado por un río de aguas amarillas y bordeado en su frontera por los rieles sobre los que corren las locomotoras negras, que despiden chorros de humo desde sus pulmones de hierro y jalonan victoriosas su recua de vagones.

Guillermo saca de entre la solapa de su chaqueta de cuero, un paco. Así llama a aquel paquete de yerba, del tamaño de su dedo pulgar, envuelta en un pedazo de hoja de cuaderno. Desmenuza los moños de la marihuana, bota las semillas y, con la yerba convertida casi en polvo, arma un cigarro. Lo prende y lo aspira a fondo, estirando los labios hacia adelante como haciendo un tubo con ellos, varias veces y luego se lo da a Agustín, quien con torpeza lo imita y fuma.

Agustín se cuida, duda, no sabe si devolverse o avanzar. Tiene miedo de pisar terrenos movedizos, pero sigue adelante. Lo asusta la idea de que Guillermo lo invite a tomar esas pastas que le ha visto usar un par de veces. Que lo desdoblan, le traban la voz, lo ponen a andar como un borracho y lo tornan exigente y provocador.

El profesor Aristizábal mira al grupo que lidera el mono Guillermo con recelo. Los espía, recoge información de ellos. Sabe ya de los pasos que están dando y espera, con la paciencia del cazador, hasta que un mal día Guillermo invita a Agustín a que fumen marihuana en los baños del liceo. Es un reto que le lanza.

Entran, prenden el cigarro y, mientras Agustín aspira, la puerta se abre como una ráfaga. Ahí está Aristizábal con las llaves en la mano, su cabello grueso peinado hacia atrás y sus ojos enardecidos y victoriosos controlándolo todo. Le rapa el cigarro a Agustín, lo apaga y lo envuelve en papel de seda, como quien guarda una joya.

–Afuera par de crápulas, pobres padres los suyos. ¡De cuclillas, carajo!

–Tranquilo hermano, vamos a estar muy tranquilos –le dice Guillermo a su compañero–. A la próxima, Agustín, usted se traga el cigarro de una.

Pero él no responde una palabra. Está asustado, confundido.

El propio Aristizábal trae a la policía, que les hace un primer interrogatorio a puerta cerrada en la rectoría: ¿Dónde la compraron? ¿Cuánto hace que fuman? ¿Quién les enseñó? El Mono Guillermo enfrenta todas las preguntas. Luego los llevan detenidos a una comisaría donde comparten calabozo con dos ladrones, un travesti, tres prostitutas y un borracho. Fresco, le dice Guillermo. Fue culpa mía, por ponerme a joder con que fumáramos en el baño, deje que voy a ver cómo lo saco de ésta.

Agustín Enrique, avisado de la noticia, deja el trabajo y se presenta, primero al liceo y enseguida a la comisaría de policía donde se encuentra con Ruth.

–Mire apreciado padre de familia –le dice Aristizábal, y suelta esas palabras que caen como fuetazos–. Su hijo es un marihuanero, un adicto a la yerba maldita. Los venía siguiendo y lo encontré junto al otro vergajo fumando aquí, en el liceo, encerrados en el baño. Quién sabe qué pensaban hacer después de fumarla.

Agustín Enrique no dice una palabra.

–Todo tiene solución en esta vida, señor Zipagauta –le dice Aristizábal con cierto desdén. Cuando el afligido padre se marcha, cita a un consejo extraordinario de disciplina, que concluye con la sentencia del rector–: Ni una palabra más, los alumnos están expulsados.

Tampoco se atreve Agustín Enrique a hacer comentario alguno mientras escucha al jefe de la policía que suelta otra andanada:

–Escorias de la sociedad, peligrosos bandidos, enemigos públicos, eso es lo que son sus hijos.

El papá de Guillermo, un vendedor de electrodomésticos, habla a solas con el comisario y se marcha abatido. Un rato después llaman a Agustín Enrique y le hacen firmar un documento en el que se compromete a vigilar a su hijo y a informar cualquier comportamiento extraño que note en él y enseguida le entregan a Agustín.

–¿Qué pasa en las clases? –le dice Agustín a Ester–.¿Cómo piensan resolver mi ausencia y, sobre todo, la del Mono para el próximo partido?

Como si a través de esas preguntas Agustín pudiera seguir allí, escuchando su nombre cuando llaman lista, formando parte del grupo de estudiantes más reconocidos. Pero aunque todavía no lo asimila, lo han expulsado. Lo confirma, aún sin aceptarlo, cuando ve pasar a Aristizábal y a otro profesor frente a él y a Ester. Apenas la saludan a ella. Pero a él ni una palabra, ni una voz, ni una ofensa siquiera. Siente deseos de correr tras ellos y gritarles: Aquí estoy, soy su alumno, no me desconozcan ni nieguen mi existencia.

–Agustín: ¿Es verdad? –le pregunta por fin Agustín Enrique, tras varios días en los que no ha cruzado una palabra con su hijo.

–Sí, pero tranquilo que no pasa nada –le responde Agustín a su padre–. Eso es como beber trago.

–No hombre, cómo se le ocurre. Fumar esa yerba es prohibido, porque es un vicio que lleva a la gente a cometer locuras.

–No papá, eso no es así. Prohibida también era la chicha que la abuela vendió durante años, pero no por prohibida era mala.

–No eso no es lo mismo, una cosa es una bebida de maíz y otra una yerba maldita.

–Sí, no es lo mismo, es parecido, ambas cosas son frutos de la tierra.

–Está loco Agustín, está loco de remate –le dice Agustín Enrique a Ruth, al acostarse. Y no escucha lo que ella le responde. Da vueltas en la cama: una confusa caravana de imágenes y pensamientos lo atraviesa. Ve a Alejandra, cada vez más alta, ir y volver de la galletería de los Urueña, soñando con ese hombre que no aparece, y él, sin saber qué hacer, qué decirle, y los días que pasan y los años que se van y las ilusiones de ella que se marchitan. Y escucha a Eulogio Fierro celebrando: Mire a su hija Alejandra, lo bien que le va en la empresa, se ha vuelto persona de confianza de don Leopoldo, el gerente. Va hasta su casa a informarle asuntos muy serios para la empresa: quiénes se van a afiliar al sindicato y quiénes se van a desafiliar. Esos favores no se olvidan en las empresas de los Urueña. Y se ve, Agustín Enrique, en las postrimerías de su adolescencia, rodeado de hombres adultos sembrando ladrillos en uno de tantos edificios, preguntándose yo qué hago aquí. Y ve a su madre sentada en la cama, vestida con un traje de seda roja y unos zapatos crema, llorando en la víspera de la Noche Vieja, sin saberse observada, rastreando en el dial, intentando reencontrar a La Voz vigorosa y sonante que hechizara sus oídos años atrás.

Ruth, un rato después de oír las quejas de su marido, navega por su reino interior, lastimada, sobre todo, por que Agustín ha sido expulsado del liceo. Otro hijo que no estudia, que no se va formar. Qué pena siente: Agustín tan cerca de terminar el bachillerato y todo se desmorona en un momento. Ella, que desde hace rato intuye que en los libros hay un universo de posibilidades, que el camino del conocimiento abre las puertas de mundos insospechados, soñó muchas veces con el grado de bachiller de su hijo.

Habías puesto, Ruth, tus ilusiones en Agustín. Con su título le harías un exorcismo a tus frustraciones. Pero no. Tampoco pudo estudiar Alejandra, porque cuando eso no había liceos nacionales, el cupo en los colegios era una lotería que costaba demasiado dinero y a la familia le tocó asumir todas las consecuencias del año de las desgracias, como tú lo llamaste. Entonces, la chichería fue cerrada definitivamente por la alcaldía y doña Amelia, acusada de fomentar el embrutecimiento de la población, tuvo que pagar una multa tan alta que se vio obligada a vender sus enseres.

Alejandra, durante los días inciertos del año de las desgracias, aprovechando la expansión de la galletería de los Urueña y los buenos oficios de Eulogio Fierro, consigue un puesto primero como empleada temporal para ayudar en las promociones de nochebuena y después ¡con contrato a término indefinido!, como dirá ella misma brincando de alegría cuando llega a casa con la buena nueva.

Entre todos vamos a ayudar a la abuela a salvar la casa, le anuncia Alejandra a un Agustín Enrique que, abatido, mira el cerógrafo que parece un cartel fúnebre, con sus letras negras, pegado a la puerta: Esta chichería, dice el papel, ha sido clausurada definitivamente por la alcaldía. Doña Amelia no se queja ni reclama, sólo voltea su reloj de pulso al revés y el despertador de su mesa de noche patas arriba: A ver si el tiempo se devuelve.

Entonces la abuela Amelia se refugia en la casa y escucha en la HJCK la música que descubriera en las manos sin ataduras de Wolfgang. La melodía la transporta a bordo de un dulce remolino, por el que navega entre paisajes metafísicos.

¿Será que mi Dios te está castigando ahora?, le pregunta Ruth a su sombra, mientras recuerda una cara y unos ojos que parecen dos aceitunas. Pero no puede ser que tu hijo pague por tus culpas y además culpa de qué Ruth, de darte el derecho de vivir, de sentir, de soltarte. Huy, santo Dios, creo que lo extrañas a él, creo que a veces te hace falta. Estabas pensando en Agustín, en Alejandra, en el año de las desgracias y mira dónde fuiste a parar, tienes que serenarte, dejar de pensar un rato, meditar, respirar hondo.

Agustín, retirado ya del liceo y para atender las exigencias de su padre, consigue vagos empleos temporales, de una o dos semanas, como lavador de carros, recolector de zapatos para reparar y vigilante nocturno de algún estacionamiento. Cuatro meses después del día en que Aristizábal irrumpió en el baño del liceo, Guillermo sale de la prisión. Agustín celebra la noticia. Al antiguo aprecio que le tenía, suma la gratitud y la admiración que guarda por Guillermo.

La marihuana es mía, este muchacho nunca antes ha fumado, yo lo obligué a hacerlo, esa es la verdad, señor comisario, ha dicho el mono, librándolo de todo cargo.

Guillermo, de regreso de la cárcel, no es el mismo de antes. Tiene un aire distinto, su mirada ha perdido el resplandor y camina sin ganas. Guarda largos silencios cuando vuelven a los potreros de Palonegro a fumar marihuana. Varias veces lo invitan a jugar fútbol y se niega. Hasta que llega el momento de un gran clásico. Se trata de un amistoso entre la selección de la ciudadela Córdoba contra la segunda del Atlético Premio, con motivo de la inauguración de la planta de tratamiento de aguas negras del oriente de la ciudad, un domingo en la mañana, con el alcalde, delegados del Club y Eulogio Fierro como invitados de honor.

–Si el Mono no juega nos baila esa gente, ahí vienen varios profesionales –dicen en los corrillos de la ciudadela Córdoba.

–Juguemos ese partido, llavecita, sí, sólo ese –le pide Agustín. Y el Mono, a regañadientes, cede.

–Qué tarde la suya –le dice esa noche Agustín mientras caminan por la calle Catorce, fuman un cigarro de marihuana y recuerdan ese inmediato y glorioso pasado–. Vea –le dice Agustín emocionado–, aquí va mi nota radial sobre el partido: El Mono Guillermo llenó la cancha mis amigos. De su mano, el equipo de la ciudadela Córdoba atacó una y otra vez hasta que ese niño prodigio venido de los peladeros, les metió dos golazos soberbios. El primero, un remate a ras de piso tras una pared con Agustín. Y el otro, qué tirazo del Mono, señores, un cobro de una falta a unos treinta y cinco metros del arco. La pelota tras superar la barrera hizo una curva violenta y entró rozando el ángulo superior derecho. Ese balón ni siquiera Dios podía detenerlo –remata Agustín emocionado.

–Lo espero el miércoles a las nueve de la mañana en nuestra sede para que inicie sus entrenamientos –le ha dicho el entrenador del equipo rival al Mono–. No falte, que usted no tiene que ir a buscar la gloria a ninguna parte, la tiene en sus pies.

Agustín Enrique no sabe de esas tardes de fútbol rociadas de pundonor. Lo único que sabe es que el mono Guillermo ha salido de la prisión, que de nuevo anda con su hijo calle arriba y calle abajo. Y que él, Agustín Enrique, completa varios meses en que sus noches son una eternidad de imágenes cambiantes, un océano de dudas y preguntas sin respuesta.

Hay que hacer algo, no más vueltas, se acabó esta jarana, se dice Agustín Enrique, y madruga al liceo.

–Profesor Aristizábal, ¿qué me aconseja? ¿Qué hago con este muchacho?

–Si de verdad usted quiere que él se enderece no hay sino un camino: mándelo al Ejército a que lo reformen. Con la disciplina militar se regenera. De lo contrario va a terminar como el Guillermo ese, un marihuanero que desde que salió de la cárcel no sirve ni para jugar al fútbol.

Agustín Enrique da vueltas a la idea mientras siente las pisadas de Agustín que llega cuando todos duermen, hasta que se convence de que no hay otro camino y habla con su mujer, sin contarle su verdadera intención.

–Se trata –le dice a Ruth–, de obtener la tarjeta militar para que Agustín pueda acceder a un empleo en la constructora o en la fábrica de galletas. Todo está arreglado, ya busqué a Eulogio Fierro y él nos va a ayudar. Lo único que tiene que hacer Agustín es presentarse a los exámenes médicos. Nada más.

–Bueno mijo ¿qué piensa hacer? –le pregunta Ruth a Agustín, mientras hablan en la cocina pintada de un gris oscurecido por el humo que sale de la estufa de carbón.

–No sé mamá, no sé.

–Su papá –continúa Ruth–, dijo que está dispuesto a pagar la comisión para la tarjeta militar, que si sumercé acepta él habla con don Eulogio Fierro, que conoce a gente importante. Usted sabe cómo son esas cosas, aquí todo es plata y recomendaciones, mijo.

–Pues si eso dice él, hagámosle para no contrariarlo más –le responde Agustín.

–Voy a resolver lo de la tarjeta militar –le cuenta Agustín a Ester–. Mi papá ya habló con un amigo de los políticos. La cosa está arreglada. Sólo tengo que presentarme al examen médico el próximo sábado y nada más. Dentro de un mes me llaman a entregarme la tarjeta. Buena gente mi cucho, ¿o no?

–Menos mal, porque a usted de milico si no me lo imagino. ¡Qué tal todo peluqueado! Huy no, qué boleta.

El sábado Agustín madruga, siguiendo las instrucciones de su padre trasmitidas a través de Ruth. Los dos no hablan desde la conversación en la que Agustín le dijo que la marihuana y la chicha eran frutos de la tierra. Apenas si se cruzan alguna mirada. Pero eluden el diálogo como si tuvieran un secreto pacto al respecto: usted aliá y yo aquí.

–A ver, el que sigue –gruñe el centinela, recostado en la pared del batallón, al occidente de la ciudad.

–Buenos días –dice Agustín y entra al cuarto donde un hombre de blusa blanca, rodeado de varios soldados y dos suboficiales, se muestra muy atareado.

–Párese allí y se desviste –le dice uno de los soldados a Agustín.

El médico le examina la uretra, el recto, le ordena hacer varias flexiones, le toma el pulso, la tensión, siempre anotando uno y otro dato en una hoja agarrada a una tabla.

–¿Ha sufrido alguien en su familia de sífilis?

–No, no señor.

–¿De diabetes?

–No.

–¿De hepatitis?

–No

–¿VIH?

–No.

–¿O algún tipo de locura? –le pregunta el médico.

–No señor, por fortuna no.

–¿Usted ha sufrido alguna de esas enfermedades?

–No señor.

–¿Ha sido operado alguna vez?

–No señor.

–El que sigue –grita el soldado de la entrada.

En el patio, un centenar de muchachos como él, recostados contra unas paredes frías, hablan en grupos.

–Si me mandan a la selva, a la brigada de Pueblo Grande, pues me voy a echarle bala a los muchachos de Efraín –dice uno de ellos.

Agustín, entre el asombro y la confusión, recorre el patio mirando y oyendo lo que dicen. Después de intentarlo varias veces, al fin se decide a preguntar cuándo creen que van a llamar a los que no consideran aptos para prestar el servicio militar.

–No hermano, aquí todos vamos para el Ejército, los que no se van a quedar salen por otra puerta –le responde uno de sus accidentales compañeros–. El médico les dice usted no sirve y los despacha.

–No puede ser…

Agustín y el resto del grupo son trasladados a un batallón en las afueras de la ciudad.

–Formen aquí, reclutas –dice un cabo, y los organiza en filas antes de conducirlos a los camarotes–. Acuéstense y nada de ponerse a mariquear que el Ejército es pa'machos.

–¿No nos van a dar comida? –pregunta uno de ellos.

–No, recluta, esta noche les toca aguantar hambre. Hasta que no pasen por la peluquería no hay comida alguna.

Agustín no duerme. Una imagen más que cualquier otra lo persigue y lo humilla. Verse rapado. No puede liberarse de la dolorosa idea de encontrarse con una Ester indiferente y distante, burlándose de su cabello recortado, riéndose de él: Huy no, qué peluqueada.

Muy temprano, cuando salen al patio a formar, oye que lo llama un ordenanza:

–Agustín Zipagauta, ¿dónde está? –y él, por un segundo, se agarra de ese hilo de esperanza–. Vea, aquí le mandan este papel –le dice el soldado que sigue gritando en busca de otros reclutas.

> Qui'ubo mijo. ¿Cómo está? No sé qué está pasando. Parece que Eulogio Fierro nos quedó mal, debe andar borracho pues hace tres días que no va a su casa. Pero su papá lo está buscando. Yo creo que esto se va arreglar. Tengamos fe en la

santísima Virgen de la Laguna. Atte: su mamá, que lo quiere mucho.

Mamá, aquí todos dicen que ya estamos en el Ejército y nos tratan de reclutas y todo. Mi papá sí la cagó, dijo que me iban a dar la tarjeta militar de una y vea esta embarrada con que nos salen, esa no se la voy a perdonar así no más: Agustín.

Unos minutos después se inicia el rito en la peluquería. Cuatro soldados rasuran con máquinas eléctricas las cabezas de los reclutas. Parecen pilotos de una formación de buldózeres, dispuestos a arrasar con lo que se les ponga por delante. Cuando le toca el turno, él cierra los ojos. Su pelo largo, caído sobre los hombros, era él mismo, Agustín en persona, el sello de su identidad, de su forma de jugar el fútbol, de su manera de ver y entender la realidad. Kurt Cobain jamás habría cantado lo que cantó si alguna vez lo rapan, piensa Agustín, mientras se pasa la mano por su cabeza mutilada y llora para adentro, tirado en su camarote, derrotado y olvidado del mundo.

EN MEDIO DE la ansiedad y el cosquilleo que experimentaba en la víspera del asalto al cuartel de San Francisco de los Colorados, recordé a Antonio. Extrañaba su alegría durante las marchas, en las que cantaba joropos y cumbias. Es que necesito reírme, Mercedes, me decía él, para saber que estoy vivo, y soltaba sus carcajadas sin motivo. Me hacía más falta esa sonrisa franca que su ternura repetida o sus besos cansados. Ahora que en el campamento todo eran afanes y órdenes, yo extrañaba sus dudas sobre este loco trajín en que andábamos. No sé por qué, al pensar en él, deseaba morir en el ataque que íbamos a realizar, irme para la otra vida, como le ha tocado a tantos compas de las guerrillas de Efraín, caer en los fragores de un combate para que todo acabara un lunes de abril.

Cómo se burlaría Antonio si oyera mis pensamientos, porque él decía que la otra vida era como el agua que sale de una llave cerrada o como la comida que hay en un plato vacío. Desde que él abandonó las guerrillas, he hurgado en su cuaderno de Cartas Cerradas siempre dirigidas a Leopoldo, su padre. Madrugada tras madrugada he buscado allí, entre los remangos de sus letras queriendo encontrar una frase nueva, alguna clave, no sé bien qué, pero sí sé que me gusta leer con frecuencia lo que él escribía, sobre todo cuando hablaba de mí:

> Querido Leopoldo. Me desperté muy temprano en esta madrugada de un día más, a finales de mi año dieciséis como combatiente en las guerrillas de Efraín. Tal vez tú todavía dormías. O, quién sabe si los insomnios de la edad te tuvie-

ran despierto, matando esas horas eternas con un sancocho de pensamientos. Mercedes estaba profunda. Tenía puesto el velo blanco que le compré en Pueblo Grande. Es tan bella esta pelada. No hay otra así en las güerrillas de Efraín. Yo la miraba, acostada de medio lado, con las piernas recogidas, parecía una media luna en celo y sentía deseos de amarla Pero no quise despertarla, mejor me recosté otro rato.

A veces quisiera que esta guerra se acabara para poder volver a casa, para saber de ti y de tus batallas en la galletería. Todavía estarás allá, de eficiente gerente de los Urueña, como el empleado de mostrar en la cartelera de los mejores del mes. Sabes que lo digo con cariño. Aunque no comparta tu forma de vida, ni tu entrega de viejo sargento del capitalismo salvaje, yo siempre he valorado tu disciplina, tu perseverancia, ese obsesivo sentido de la responsabilidad. Me gustaría que conocieras a Mercedes. Es muy joven, dirías, casi una niña. No le vayas a hacer daño, no vayas a ser brusco con ella. Tú siempre de abogado defensor de todas las mujeres, menos de la tuya. ¡Pero qué va!, no la vas a conocer porque ya no hay vuelta de hoja, mi destino está aquí, en estos montes y estas selvas. Y hoy no escribo más porque ya estoy diciendo cabronadas que no se puede permitir un revolucionario. Hasta la próxima vez. Con mucho afecto, tu hijo Antonio.

Yo leía su cuaderno y pensaba en él, en Antonio, que anocheció aquí y no amaneció. Claro que esa decisión, la de convertirse en un desertor de la Revolución, la cocinó despacio, le debió costar demasiado; así lo ve uno en las Cartas Cerradas que escribió. No sé si me las dejó como una constancia del giro en sus ideas o si fue, más bien, un olvido. Tal vez no me dijo que se iba porque creyó que yo no lo seguiría, que los alertaría sobre su fuga, que lo entregaría a Efraín y al

Catire, que me daría miedo que nos pillaran, que no quería ir con él a esa ciudad grande y distante.

A esa ciudad que no conozco pero que aprendí a imaginarme escuchándolo a él. Decía que el cielo plomizo invitaba a pensar y que los árboles sembrados en sus calles tenían historia. Hablaba del aliso y el laurel de cera que vinieron del norte, del sauce traído de la tierra de los conquistadores, de las acacias que expresaban inocencia y rectitud. Me contaba que el caucho y el arrayán eran los sobrevivientes de tiempos prehistóricos, cuando la tierra todavía no paría la cordillera. Antonio quería mucho a su ciudad y también a su universidad, aunque dejó los estudios apenas comenzando. Decía que allí se inició políticamente, empezó a leer en serio y se dio cuenta que los del Club eran los amos y señores. Los despreciaba, decía que no les dolía la realidad, que sólo les preocupaba construir su palacio de Versalles. Recordaba, en cambio, con cariño a uno de sus maestros que lo llevó a visitar a los kogis en la sierra, desde donde se ve el mar, para que aprendiera cómo fue el primer día de la creación, y a los taítas del sur que le enseñaron a beber yajé.

Había aguantado todo en las guerrillas de Efraín. Me contó que al principio le decían el boy scout porque era uno de los pocos muchachos de la ciudad, el revolucionario de café lo llamaban cuando pedía que estudiaran, el versero, cuando recitaba poemas. Yo lo amaba, aunque también me aburría ese afán suyo de explicárselo todo, de ver la tesis, la antítesis y la síntesis hasta en la preparación de la sopa.

En esas andaba, con Antonio metido en mis pensamientos, cuando vi llegar a Sara con su grupo. Venían de entrenar, dando una larga marcha alrededor del campamento. Lo habíamos hecho con intensidad durante los últimos días, divididos en tres grupos. Desde hacía cuatro semanas todo era preparación para el ataque al cuartel de San Francisco de los Colorados: la levantada muy temprano, el aseo del campamento, los ejercicios físicos, los grupos de trote y el repaso de lo que cada avanzada debía hacer, el papel que cada grupo y cada uno de nosotros cumpliría durante el ataque. Tan pronto le dieron la orden de romper filas al grupo de Sara, la grité:

–Sara, Sara.

Ella me vio y se puso muy contenta y también me gritó:

–Mercedes, qué hubo.

Corrimos a encontrarnos.

Me puse a llorar, no sé por qué y ella me abrazó y me limpió las lágrimas. Le cargué el fusil y el equipo para que descansara y la llevé a mi cambuche a darle un pedazo de panela, mientras llamaban a formación.

–Ay Sarita, tengo miedo y creo que es por haber visitado el escenario del ataque antes de la hora de la verdad. Antonio decía que eso era de mal agüero y siempre evitaba hacerlo.

–Tranquila, Mercedes, no llore que mañana no hay tiempo para los malos agüeros. A nosotras nos va ir muy bien, Mercedes, los que la van a ver negra son los chulos del cuartel.

Eran las seis de la tarde del domingo en aquel claro de la manigua transformado en campamento militar donde Mercedes y Sara compartían sus cuitas. El sol rojo que caía muy lejos de allí, apenas si alcanzaba a filtrar sus últimos rayos entre la maraña. Hombres y mujeres, la mayoría de ellos apenas en la puerta de salida de la adolescencia, vestidos de uniforme militar camuflado y botas de caucho, hablaban en pequeños grupos y descansaban tras una última jornada de entrenamiento, tendidos en sus cambuches. Otros prestaban guardia.

Por todas partes se veían fusiles de asalto Colt, Galil, R-15, M-16, AK47 y carabinas Ruger 2.23. Armas de cuerpos oscuros como la noche que se venía encima. Parecía que aquel arsenal prestara juiciosa vigilancia sobre los jóvenes comandos para que no fueran a escapar a su destino de combatientes. Los cañones, con sus bocas letales, estaban impacientes. Ansiosos de asistir, como falos encabritados, a la fiesta de los disparos.

De delgados cables amarrados a los palos, colgaban camisas y pantalones verdes al por mayor, algunos interiores de hombre, unos pocos pares de medias y uno que otro sostén.

El campamento tenía varias empalizadas, hechas con estacas de troncos de madera y cubiertas con hojas de los platanales.

En el rancho quedaban los regazos de algunos bultos de arroz, papa y panela. En tres ollas gigantescas se calentaba a fuego lento la comida de la tropa. Dos muchachas, de rostros atezados por el sol y el agua, revolvían con grandes cucharas de palo aquellas marmitas.

En la empalizada donde estaban los comandantes de las guerrillas de Efraín había una especie de maqueta construida con arena sobre un pequeño monte. Simulaba el cuartel de San Francisco de los Colorados, con sus tres refugios, uno en el frente y dos en las esquinas laterales. Habían distribuido allí trece palos negros y otros dos más adelante. Uno de los jefes, un Catire con ojos de cascabel, delgado como una varilla, pintaba en la parte superior de cada palo con un lápiz blanco dos puntos horizontales a medio separar y un poco abajo, dos puntos verticales, también ligeramente distantes. Parecía que encima de aquel montículo una compañía de quince marionetas de madera se alistara para desarrollar una velada teatral.

El Catire y otros comandantes rodeaban a Efraín, un hombre maduro, de rostro curtido y energías despiertas. Había llegado al campamento de un momento a otro, como quien no anuncia su visita. Vestía jeans, camiseta y botas negras. Era el único con ese traje. Tenía los ojos rojos, llevaba al cinto una pistola Sig Sauer nueve milímetros y un cuchillo de mango de plata. El Catire daba explicaciones a Efraín de la forma en que se iba a desarrollar el asalto al cuartel en San Francisco de los Colorados, señalando con su fusil los posibles flancos de ataque. Él lo oía y luego hacía algunas observaciones que eran escuchadas con atención.

–Rápido, camaradas, a recoger el armamento. En cinco minutos hay que formar para oír al comandante Catire y después pasamos a la comida. Esta noche todos deben dormir bien. Mañana saldremos de madrugada. Rápido, camaradas, que ya se acerca la hora del plomo ventiado –les dijo uno de los jefes a los muchachos que se movían con particular destreza dentro de sus pequeñas carpas de plástico negro, sostenidas sobre dos horquetas, que les servían de habitación y lugar de descanso.

Antes de la formación, Efraín se marchó de la misma manera en que llegó, como una exhalación, rodeado de su escolta. Apenas si lo vieron a la distancia, cuando tomaba un atajo selva adentro, desapareciendo de inmediato.

–Allá va el camarada Efraín a montarse en su helicóptero –dijo uno de los muchachos.

–No, al camarada Efraín no le gustan los helicópteros, él anda en un campero todo terreno por unas trochas que sólo él y los comandantes conocen –replicó otro.

Efraín había heredado el mando de su padre, el viejo Efraín, quien se alzó en armas cuando llegaron a buscarlo bajo la acusación de ser uno de los más entusiastas oyentes de La voz que desplegaba su vigoroso discurso a través de las ondas radiales.

El viejo Efraín es un joven tendero campesino, de cachetes colorados y dientes calzados en oro. Hombre de pocas palabras, reconocido por su habilidad como comerciante y por su devoción al ahorro, es dueño de uno de los pocos radios que hay en su pueblo. Los viernes en la tarde, cuando La Voz que truena, con su ritmo vigoroso y su cadencia indomable, despabila las ilusiones dormidas de desarropados, obreros y campesinos, él le sube el volumen a su aparato para que su clientela pueda escucharla, oír su sonora potencia, hasta cuando ésta, en un mediodía fatal, es silenciada de un hachazo. La noticia llega al pueblo del tendero Efraín y él no lo puede creer. ¡No es cierto!, grita ¡no es cierto!, y corre desesperado a buscarla entre los cables de su radio, en los electrodos, en los diodos, en tubos y transistores, en los vasos comunicantes, en el gramófono. Pero no la encuentra.

En la radio Efraín sólo escucha a monseñor que echa chispas: Los seguidores de la Voz, dice el prelado iracundo, como surgidos del infierno gritaron las más horrendas blasfemias contra el Señor, atentaron contra todo lo divino, robaron los vasos sagrados y los utilizaron en usos innobles, como en la negra noche de Baltasar. Destinaron las sacristías a iniquidades y diversiones inmundas, incendiaron los templos, las casas religiosas y los palacios de la Nunciatura y del prelado que la ira de Dios caiga sobre ellos.

Hombres armados, que visten de paisanos y tienen pasaportes de policías, andan por todo el terruño con una larga lista de papel. Tan larga es que se extiende como una culebra eterna por entre las montañas, baja a los valles y sube a las cordilleras, sin acabarse, como si se reprodujera y se multiplicara sin tregua ni descanso. La lista contiene los nombres de los oyentes de La Voz, de miles de humildes militantes del partido del color rojo que habían cerrado filas alrededor de ella, buscados por los policías vestidos de paisanos para mutilarles sus orejas pecadoras.

–Nos vamos de aquí porque yo no voy a ser sordo por el resto de mis días –le dice Efraín a sus cuatro hermanos.

Cierra la tienda y se mete con ellos al monte, armados de una escopeta hechiza que usan para cazar conejos, el cuchillo de la cocina y dos hondas de piedra con las que tumban pájaros de los árboles. En su marcha se les unen otros más que huyen al paso de la lista que se hace tristemente célebre y perenne. Desde entonces siempre hay lista: lista negra, lista sucia, lista clandestina, lista de secuestrados, lista de víctimas, usted está en la lista, yo dejo de pensar pero por favor bórreme de la lista, me voy porque estoy en la lista.

El nombre de Efraín empieza a aparecer en los periódicos, donde señalan que es uno de los bandidos más temidos del oriente del país. Su guerrilla se hace fuerte, aprende a ocultarse en la copa de los árboles durante meses, en el fondo de los ríos durante años, en los cañones y hondonadas durante décadas, eludiendo la persecución decretada por el Club. La gente se acostumbra a convivir con el mito del viejo Efraín, uno de los sobrevivientes de la cacería que deja tendidos en el camino a decenas de célebres guerrilleros y bandoleros alzados en armas. Un día lo declaran muerto en alguna operación de tierra arrasada y al otro día resucita dirigiendo uno de sus asaltos a puestos de policía en poblados extremos, que sus guerrillas vengativas dejan destruidos, borrándoles hasta su historia.

En el Club, don Pedro Fernández y don Fernando Pedroza,

y sus hijos, y sus inmediatos seguidores, están concentrados en el diseño de las maquetas para erigir su versión criolla del palacio de Versalles. Hay concursos de diseño entre arquitectos, los economistas estiman los presupuestos, los administradores calculan los tiempos y los abogados definen las diversas formas de contrato que tendrán todos aquellos que tengan que ver con la obra. Sobre un inmenso terreno, donado al Club por los Urueña que tenían allí su pabellón de caza, trazan los planos de arboledas triangulares, de preciosos jardines rodeados de terrazas, de estanques rectangulares y circulares con juegos de agua, que van a bordear el edificio central. Sueñan con la galería de los espejos donde se verán con sus propias caras, sin que nadie les diga cómo son porque ellos lo descubrirán allí, frente a las cornucopias de marcos dorados, mirando sus ojos que no los engañan, viendo sus propias sombras reverberar en las paredes, contemplando a sus fantasmas ansiosos de huir por entre los trémoles de oro.

La obra demanda tiempo, atención y energías al Club. Hay que activar los aserraderos porque se necesita demasiada madera, censar las canteras porque urge la piedra, es preciso un sistema de riego para alimentar cisternas y noques. Todo el cemento, la varilla, el hierro, el ladrillo, la arena, la madera, van a parar al Club, los materiales escasean y los precios se encarecen como nunca antes. Quien quiera comprar algún insumo de éstos tendrá que buscarlo a precio inflado entre los saldos que deja la imponente construcción.

Mientras avanzan y se desarrollan los febriles trabajos en el Versalles criollo, los del Club reciben una visita ilustre. Llega el Presidente del Norte, con su mechón en la frente y un rictus en el rostro, como si intuyera ya su futuro cercenado. Les viene a hablar de una alianza para el progreso.

Los dos principales socios del Club, don Fernando Pedroza y don Pedro Fernández, vestidos con sus corbatines grises, le cuentan al Presidente el trabajo que están realizando: Igual que allá, aquí tenemos dos partidos. Sólo que en un periodo, un partido dirige la construcción de nuestro palacio de Versalles y el otro le ayuda. Y al siguiente periodo manda el otro, señala el nuevo orden de las obras, tumba las paredes que se han hecho para levantarlas a su gusto y escoge la piedra a usar, distinta de la que se venía utilizando. Nos alternamos entre nosotros para elegirnos. Nadie más puede aspirar. Para que nos rinda más, todas las noches, después de las ocho, nadie puede salir del Palacio. Obreros y maestros, pintores y fontaneros, electricistas y ebanistas, se quedan a dormir allí y así se despiertan en su lugar de trabajo.

–¿Y quién hace el papel de la oposición? –les pregunta el Presidente.

–Es fácil –le responden los del Club–. Aunque todos los días almorzamos juntos, de vez en cuando nosotros hablamos mal de ellos y ellos hablan mal de nosotros.

En veinte años seremos parte del Norte, le aseguran encrestados los jefes del Club, y le muestran las fotos de la ya histórica firma del segundo pacto, hecho sobre las bases del que ya habían suscrito cuando desapareció La Voz. Este segundo acuerdo lo sellan en una ceremonia bañada en champaña: ¡Pacto es pacto!, gritan emocionados sus gestores durante la firma y cierran filas en defensa de su acuerdo.

Siempre previsivo y acosado por el paso de los años, el viejo Efraín decide que es la hora de aceptar la insistente invitación que le hacían a su hijo, nacido y criado en las guerrillas, para que fuera a conocer el lejano reino de los comunistas. A su regreso, piensa el viejo, le entregará el mando y él se retirará a cuidar gallinas, cerdos y terneras en una gran finca que no tenga cierros ni cercas. Así había concebido sus últimos años desde sus venturosos días de tendero.

Efraín hijo cruza el océano para iniciar su periplo y en su primera escala contempla una pared infinita que produce escalofríos, y lee un poema escrito con sangre que no logra entender. A Efraín lo deslumbra la soberbia construcción de aquellos palacios que visita, con sus murallas hechas de piedra recogida en el cantorral de los siglos, sus campanas colosales que sacuden el mundo al golpe de sus badajos, sus almenas rojas, como coronas de los tiempos. No comprende el contraste de aquella arquitectura con las caras de hierro, los vestidos grises, las corbatas endurecidas y las manos yertas de los hombres con que habla. Siente en sus huesos el frío helado que respiran aquellas lozas petrificadas, envueltas en los humores del polo norte, y él, un hombre venido del trópico, con la piel cocida al sol, hace esfuerzos imposibles por adaptarse a ese clima inhóspito.

A su regreso, Efraín asume el mando de las guerrillas fundadas por su padre que de a pocos se va retirando, viejo y cansado, a cuidar los animales en su hacienda sin alambrados.

Los muchachos de Efraín, ya formados, guardaron absoluto silencio cuando apareció el Catire. El jefe guerrillero recorrió la formación, mirándolo todo: los ojos inquietos de su pequeño ejército, las armas, los uniformes, las filas, uno detrás de otro. Filas como las que hacían, pensó el Catire, en la escuela, cuando niños. Sólo que ahora no tenían la cartilla Charry en sus manos, sino un fusil capaz de mutilar las espigas en primavera.

El Catire espantó sus nostalgias, como si fueran una incómoda bandada de moscos. Rechazó el megáfono que le alcanzaban y habló con suficiencia, para que Mercedes, Sara y todos los muchachos lo escucharan: Un saludo revolucionario para todos los compañeros y compañeras. Se acabó el recreo, mañana lunes todos deben estar en pie con el equipo al hombro, listos para partir, a las seis de la mañana. A esa hora saldremos, el objetivo es el cuartel de San Francisco de los Colorados. Vamos a atacar a los chulos, que son los defensores de los ricos. Todos saben lo que tienen que hacer, en qué avanzada van, cuál es su tarea y su papel, mañana temprano lo repasaremos por última vez. Los perseguidos de ayer somos los perseguidores de hoy. ¡Que viva la Revolución camaradas!

Mercedes lo escuchó con atención. Le reconocía al Catire, pese a las diferencias que él tuvo con Antonio, su energía, su seguridad, su convicción de hombre del tropel.

Terminada la arenga del Catire, Mercedes comió todo lo que sirvieron: arroz con plátano, frijoles enlatados y una tasa de aguadepanela. Un rato después, estaba en su cambuche con Sara, protegidas con su mutuo afecto y una cobija de hilo. Afuera, la oscuridad gobernaba. A la distancia se oía el murmullo del río, un afluente que iba en busca de El Dorado con la seguridad de quien sabe que llegará a su destino.

Ella oía el susurro de las aguas dulces y evocaba momentos más gratos, cuando en noches de luna traviesa había gozado de la vida junto a Antonio. Mercedes quieta, inmóvil, tirada boca abajo sobre el lomo de una peña, con el fuego prendido entrañas adentro. Él, como un explorador del infinito, navegando embrujado por entre los pliegues de aquel cuerpo que trasmitía un silencioso deseo de ser poseído poro a poro, entregándolo todo en ese viaje a los confines del placer.

–Ay hermana –le dijo Mercedes a Sara–, qué delicia de noches cuando íbamos con Antonio al río.

–Ya sé para donde vas, Mercedes. No sigas con eso, porque me haces poner arrecha y yo ando divorciada por estos días –le reclamó Sara.

Ahí estaban ellas dos, en su amistosa vigilia en las tibias fronteras de las selvas. Olía a rastrojo y a hojas húmedas. Se oían el resuello de la algaba y las voces nocturnas de tigrillos, búhos y renacuajos.

Mercedes recordó una vez más que durante el ataque a San Francisco de los Colorados ella iría en la segunda línea de vanguardia, como ayudante del lanzallamas, el hombre que manejaba el mortero que disparaba granadas incendiarias. Ahora temía que se le apareciera la imagen de Antonio, reclamando por la violencia de las guerrillas, hostigándola con sus palabras.

–Antonio participó en muchos combates y no pensaba así –le dijo Sara–. Con eso empezó cuando ya quería irse de las guerrillas. Y durmámonos ya.

Entonces Mercedes, ansiosa de dar vueltas a las palabras, de ahuyentar los fantasmas que se le aparecían en la antesala del ataque al cuartel de San Francisco de los Colorados, se instaló solitaria en sus recuerdos familiares y evocó, como hacía de vez en cuando, a Raquel, su hermana perdida.

Mercedes siempre ha visto nítido y transparente ese lejano sábado, día de mercado en Pueblo Grande, cuando la plaza se inunda de gentes de todas las veredas que llegan a comprar y a vender los frutos de la tierra.

Bajan las tres del rancho, en las afueras de Pueblo Grande: mamá Cecilia, Raquel y Mercedes, a llevar la remesa del mes. Cumplida la tarea y mientras cargan los bultos en una carreta tirada por un caballo, Cecilia decide visitar a la Vir-

BENJAMÍN, en su larga travesía que se extiende durante cien días, trepa al páramo donde habitan los osos de anteojos y crecen los frailejones de hojas tapizadas de pelusa, que dan a luz flores amarillas. Baja después a los bosques de nubes, donde nacen los árboles colosales, de barbas de liana y musgo. Luego entra a las algabas tropicales, donde reinan las precipitaciones de agua y corren desbocadas las quebradas. Camina por las florestas donde viven las pandillas de colibríes de cuerpos escarlatas. Y avanza, hasta que llega por fin a un caserío en las selvas del sur, donde los indígenas nacidos de las entrañas del gran río le dan de beber y de comer.

Bajo el abrigo de aquellos hombres desnudos, que no se sonrojan mirando sus cuerpos, Benjamín duerme durante dos días con sus noches. En sueños ve cómo se abren las tumbas que encontró al huir con su hermana Amelia, y de ellas salen las osamentas que ya no le reclaman por su última suerte, sino que se juntan en una rotonda y empiezan a bailar, tomadas de sus manos de hueso mientras cantan una ronda. Benjamín se acerca, quiere formar parte de la coreografía, pero sus movimientos no alcanzan la plasticidad ni el ritmo de los otros. Sonrojado se retira a contemplar el sarao desde afuera, mientras los escucha reír a carcajadas, como si se burlaran de él y sus torpezas.

Recuperado, gracias a los cuidados de los indígenas que le muestran a la gran serpiente anaconda que reina en el firmamento, Benjamín trabaja unos meses en un convoy de chalanas que surcan el gran río transportando madera, mercancías, víveres y herramientas, de un puerto a otro. Un buen día se hace capitán de una de aquellas embarcaciones, a bordo de la que descubre el hechizo del calor del sur, que lo arropa bajo su fogaje húmedo. Entonces invoca a Amelia. Quisiera que ella lo acompañara en las noches de estío: Ven Amelia para que veas un río sin orillas y sin lecho. Ven para que descubras el único mar dulce que existe en la tierra.

Tras dos años de capitán y comerciante del río, Benjamín ahorra un dinero y emprende de nuevo la marcha. Es entonces cuando oye hablar de los colonos que han cruzado la selva para fundar un pueblo donde el pasado sólo sea un mal recuerdo y decide ir hacia allá. Muy pronto monta en el pujante Pueblo Grande una ferretería. Cansado de su soledad, de amanecer entre sus propios brazos, de despertarse solo con sus pesadillas, decide enamorar a María, una campesina frágil y dulce como un melón bien maduro.

–Durante noventa días debemos convivir en camas separadas y en un mismo cuarto –le exige Maria–. Es la prueba para verificar tu amor y tu lealtad, porque si eres capaz de dormir así, tan cerca y tan lejos de mí, creeré en tu promesa de serme fiel.

Pero un mediodía, cuando apenas ha transcurrido el primer mes, a la hora en que él cierra la ferretería para dormir la siesta, ella se acuesta junto a él.

–El domingo nos casamos –le advierte Benjamín al levantarse.

La ferretería crece al ritmo de Pueblo Grande, hasta convertirse en un aceptable negocio. María da a luz a Cecilia, su primera hija, y después vendrán otros más. La vida de la pareja corre entre los avatares de la crianza de los pequeños y el trabajo, hasta que una mala tarde Benjamín, que goza de la salud de un búfalo joven, siente fiebre y sufre un acceso de tos sangrante. María se alarma y le prepara un baño de infusiones de yerbabuena; él la tranquiliza, se recuesta y le advierte que no va ir al médico. Visitarlo, le dice él, es como salir a gritar a las enfermedades para que vengan.

María decide aparecerse con el médico en la casa. Benjamín, aunque en apariencia molesto, agradece el gesto. El médico le examina la garganta, observa el esputo, luego va y viene varias veces caminando de la puerta del cuarto a la ventana y de la ventana a la puerta, con las manos a las espaldas, hasta que al final suelta una temida palabra:

–Tuberculosis, Benjamín, tienes tuberculosis. Estás invadido del bacilo de Koch, que es una bacteria que te carcome los pulmones. Tienes que aislarte, puedes contagiar a tus hijos y a tu mujer, y en este clima no te vas a recuperar.

–¿Cómo así que estoy enfermo, doctor? Eso no estaba en mis cuentas, cualquier otra cosa menos enfermarme.

–Pero así es Benjamín. Tal vez fue el rigor del clima en el río, algún otro marino enfermo.

María alquila una vivienda en la sierra, donde el clima es más benigno, para que Benjamín guarde reposo y se alimente muy bien. Ella va a atenderlo, cierran la ferretería y dejan a los hijos solos, bajo la tutela de Cecilia, apenas una niña.

Cecilia no comprende por qué su padre se enferma y se ausenta. Ya no juegan al rojo y el azul, como lo hacían cuando aprendió a caminar. Odia, en su imaginación, la enfermedad, la maldice, quisiera poderla espantar, que cruzara el río y la selva y no regresara más, porque le está robando a su padre.

La ferretería es clausurada de manera definitiva y la casa la permutan por una vivienda más modesta en una vereda, y un dinero para cubrir los gastos más inmediatos. Benjamín se recupera, pero el bacilo se traslada con mayor virulencia al organismo de María, quien por recomendación médica debe ir a la capital a internarse en el hospital de La Asunción, en un edificio de paredes blancas y ventanales amplios. Allí ella comparte con otro paciente de nombre Laurentino, de quien se enamora poco a poco y sin darse cuenta.

–Esta enfermedad me angustia y me llena de temores, Laurentino –le dice ella.

–No hay razón para los temores. Enfermar es otra manera de aprender lo frágiles que somos –le responde él, mientras la abriga con los ojos bañados de una triste nobleza.

Cecilia es llevada a donde una prestante familia del pueblo. Ella hace los mandados, ayuda a servir las comidas y trabaja en el aseo de la vivienda. De pronto deja de menstruar, empieza a sufrir mareos y su estómago se inflama.

–Es una travesura de alguno de mis muchachos, es que parecen unos sementales –dice orgulloso el patrón de Cecilia. Ella da a luz a Mercedes.

María se queda en el hospital. Como si quisiera permanecer junto a Laurentino, cercado por el bacilo que invade sus pulmones sin darles respiro.

Benjamín casi no habla, se la pasa con uno de sus oídos pegado a la pared.

–Es ella –dice él.

–¿Quién? ¿Mi mamá? –le pregunta Cecilia.

Benjamín calla y sigue con la oreja amarrada a la tapia.

Un tiempo después Cecilia alumbra a Raquel, su segunda hija. Las dos pequeñas alegran la existencia del abuelo, que gasta sus últimos ahorros en los viajes a visitar a María. Ella continúa enferma, vive postrada junto al lecho de Laurentino, cuyo organismo se niega a aceptar la derrota definitiva.

Benjamín juega con las pequeñas Mercedes y Raquel, mientras llora la ausencia de su mujer. Un sacerdote de gruesos lentes, que pinta a sus feligreses y toca la guitarra, anda por las veredas de Pueblo Grande, ayudando a las familias más pobres y visitando a Benjamín para darle consuelo y hablarle de Jesús. Al padre Carlos los años le han caído encima, pero mantiene su entusiasmo vivo. Con la misma dedicación con que décadas atrás trabajaba por los vecinos de la ciudadela Córdoba, le ayuda ahora a los campesinos a construir sus letrinas, a abrir caminos, a buscar remedios para sus enfermos.

Desde entonces yo veo desfilar a los muchachos de Efraín frente a la casa: les gusta cargarme y una vez, cuando se acerca la nochebuena, uno de ellos me llama: Mercedes, cierre los ojos. Le hago caso y él me deja una vieja muñeca de trapo, de ojos rojos y pelo negro. Por ahí pasa el ejército también y uno sabe diferenciar a unos de otros por las botas, unos con pantaneras y los otros con botas de campaña. De resto son igualitos.

Después de que Raquel se pierde empiezo a ir a la escuela: aprendo a leer muy rápido, soy la que mejor lo hace. Es por esos días cuando llegan los pastores. Llevan la Biblia en el brazo y nos dicen a todos que el Armagedón se acerca, que los ríos se desbordarán, que la tierra se abrirá en dos y los que no se arrepientan serán devorados. Los pastores son unos monos altos, de camisa blanca de manga corta, corbata oscura y zapatos como de elefante. Hablan enrevesado, pero se les entiende. Reparten mercados y juegan con los niños, después de predicar. Mamá Cecilia asiste a todos los estudios bíblicos, hasta que un día dice que el cuarto se ha iluminado, que ha oído la voz de la abuela María llamándola a servirle al Señor. Se bautiza en el río y arranca a anunciar el fin del mundo.

Cuando cumplo trece años mi abuelo ya ha dejado de jugar conmigo al rojo y el azul, mi abuela María no regresa del hospital, mi mamá vive para el señor Jehová y mi hermana

Raquel no aparece. Un día los muchachos de Efraín pasan frente al rancho y me llaman:

–¿Que hace ahí, Mercedes?

–Nada –les digo yo.

–Entonces camine con nosotros.

La noche corría sin afán y la selva parecía reposar desconfiada, como los hombres jóvenes que esa noche de domingo dormían en su regazo. Mercedes, que aún no lograba conciliar el sueño, prendió la linterna roja que heredara de Antonio, sacó el cuaderno y leyó la primera Carta Cerrada, tantas veces trasteada pues Antonio tenía la costumbre al finalizar el año de reescribir, sin alterar su contenido original, las mejores Cartas Cerradas que había redactado en los últimos doce meses. Apenas escogía una o dos por año, las que más valor afectivo tenían para él.

Querido padre Leopoldo, un saludo muy especial para ti. Te cuento que estamos a diciembre 19 y hoy viví mi primer día como revolucionario de verdad. Me recibieron bien, aunque pensé que iba a ser más emocionante. Fue dura la llegada al campamento después de varios días de marcha con uno y otro cambio de ruta, un trecho en autobús, otros a lomo de mula y otros caminando. Me dieron una clase de fusil, cada parte que tiene, el cargador, el cañón, el gatillo, cómo se carga, cómo se dispara. Claro que mi fusil me lo tengo que ganar en un combate, se lo tengo que arrebatar al enemigo. Hoy entrenamos pero no disparamos porque no se puede gastar munición, que es bien escasa. Ya por la tarde iniciamos la marcha. No podemos estarnos quietos en un solo sitio porque eso trae riesgos. Desmontamos el campamento para no dejar huella y a echar monte se dijo. Tengo mis miedos. Pero este es mi destino, yo soy un revolucionario. Sí, es mejor que no lo olvides, tu hijo es un revolucionario.

Estoy seguro que cuando leíste la carta que te dejé en tu mesa de noche, me reclamaste y expresaste tu desacuerdo: ¿Cómo vas hacer semejante locura Antonio?, si tú tienes un futuro aquí, terminas tu carrera universitaria todavía jovencito y en cualquiera de las empresas de los Urueña entras a desempeñar un buen cargo. Sí, lo sé, mi viejo. ¿Pero acaso no te das cuenta de la realidad? Millones de ciudadanos viviendo en la miseria, mendigando una oportunidad.

Sé que algún día comprenderás la decisión que tomé. No me digas, por favor, que vas a seguir creyéndote tus cuentos de la alta gerencia. A ti, como a los otros jefes, te dan trocitos de poder, migajas, te sueltan un pedazo de la cuerda y te la recogen cuando quieren. La verdad es que te utilizan para hacer los mandados a los de más arriba. Discúlpame por esta andanada que, por fortuna, no vas a leer; es que de alguna manera tengo que decirte lo que pienso. Me despido aquí y te prometo que muy pronto volveré a escribir.

Mercedes queriendo hacer un exorcismo a sus temores en la antesala del ataque al cuartel de San Francisco de los Colorados, apretó el cuaderno contra su pecho, besó su pasta de cartón y leyó la segunda Carta Cerrada de Antonio antes de intentar, una vez más, dormirse:

Diciembre 25, segunda Navidad como combatiente. Anoche tuve tristeza, pensé en ti padre y también en mamá. Destapamos una botella de aguardiente, matamos una gallina y nos acostamos después de la media noche. La gallina nos la dio un campesino, pero no estoy tan seguro de que ellos crean en la Revolución, a muchos les suena como una historia extraña. Les hablé a mis compañeros del *Viaje a pie*. Cuando terminó la celebración, el comandante del grupo me llamó aparte y me metió soberana vaciada. Me dijo que mucho cuidado, que yo tenía mis desviaciones filosóficas con ese cuento del *Viaje a pie*, que acaso en qué manual de marxismo lo mencionaban. Me recordó que nosotros éramos, antes que nada y después de todo, marxistas leninistas estalinistas. Aquí no queremos guevaristas, ni maoístas, ni troskistas, ni nada que se les parezca, para eso están las otras guerrillas, compañerito, me advirtió. Ah, y no se vaya a poner a hablar nada de esto con los camaradas que no tienen formación política, que todavía no están iniciados, porque se enredan. Hable menos, me advirtió, y se marchó enverracado.

¿Cómo la ve?, difícil, ¿no es cierto? Pero bueno, la disciplina es la disciplina y un ideal superior como la Revolución necesita de algunos sacrificios menores. Por hoy no te cuento más, ya escribiré de nuevo.

De madrugada, a las cinco, a Mercedes, a Sara y a toda la guerrilla, las despertó la orden de levantada, a cargo de la guardia: ¡Arriba camaradas! ¡Arriba! Decenas de muchachos, en medio de la oscuridad, estiraron sus cuerpos que se resistían a dejar el abrigo de la tierra sobre la que descansaban, se restregaron los ojos y se pusieron de pie. ¡Arriba camaradas!, el Catire ya está bebiendo café y esperando a que formemos, insistían los que estaban de guardia.

Los muchachos, que habían dormido vestidos, fueron al monte. Los hombres iban por un lado, las mujeres por otro. Se lavaron la cara y las manos con agua que había en varias canecas regadas por el campamento, usando las mismas totumas o los mismos jarros donde les servían el chocolate, la sopa y el aguadepanela. Esta vez, a diferencia de otros días, la mayoría de ellos hablaron muy poco. Flotaba en el ambiente un sentimiento de mutismo. La idea del inminente combate mezclada con recuerdos, con finales felices o dramáticos, con actuaciones memorables o con miedos que se desamarraban, sobrevolaba en aquel claro de la selva.

Los muchachos tomaron café y recibieron en el rancho, casi en la penumbra, la ración del día, que acomodaron en sus equipos.

Sara abrazó a Mercedes, le dio un beso y le dijo:

–Tranquila mija, no te preocupés que a vos y a mí nos va ir muy bien, hoy, un lunes de abril, un lunes de la buena suerte.

La tropa fue formada alrededor de la maqueta, que reproducía el cuartel de San Francisco de los Colorados. El Catire revisó parte del armamento. Había muchas cargas en montón, hechas de dinamita envuelta en costal, cubiertas de metralla y rodeadas de más costal, una ametralladora punto 60 y un lanzallamas. Todas las escuadras se alinearon en riguroso orden para escucharlo mientras daba sus indicaciones, señalando con su fusil los puntos en el cuartel de arena, sembrado de pequeños palos negros que semejaban al enemigo:

–Les voy a repetir lo que cada uno de ustedes ya sabe, pues todos han recibido instrucciones precisas en estos días. A la vanguardia irán tres formaciones de quince muchachos cada una, que atacarán de manera simultánea los refugios que los chulos han instalado; ahí van las M-60, los morteros, las cargas en montón y el lanzallamas. La que comanda Chucho el bueno, se encarga del refugio central, la de Alcibiades, del lado izquierdo y la de Jacinto, del lado derecho. De estas formaciones saldrá, antes del ataque, una escuadra de avanzada, integrada por cuatro combatientes, para caerle al primer cordón de seguridad que tienen montado los chulos, unos quinientos metros delante del cuartel. El responsable de esta avanzada será el Ratón y de segundo va Frentonces. No pueden fallar. Tienen la misión inicial de acabar con los dos chulos sin hacer un solo disparo. Recuerden que están ubicados por aquí entre el monte, y señaló en la maqueta. Eso, Ratón, es como un tigre cazando a un venado, cuestión de malicia, de olfato y de dar el zarpazo de una.

–Así se hará camarada Catire. No los vamos a dejar resollar siquiera –respondió el Ratón–. Pero cuando pase el tropel nos bebemos unos guaros.

–Sí Ratón, nos los bebemos. La Revolución también tiene derecho a emborracharse. Cuando los despachen, avanzaremos –dijo el Catire–. Detrás de la primera línea irán los otros tres grupos de respaldo, integrado cada uno por diez hombres, listos a cubrir las bajas que se presenten adelante. Más atrás, fuera de la zona de fuego, montaremos la enfermería. Cerca a la primera línea, bien protegido, estará el lanzallamas. Su papel es clave, maestro –le advirtió el Catire al guerrillero que manejaba el mortero de las granadas incendiarias–. Usted ya sabe qué es lo suyo: meterle fuego a ese cuartel. Donde haya cualquier material inflamable las llamas van a pegar. Cuente con Mercedes, que será su ayudante, y acuérdese que estará protegido por tres fusileros. Igual los zapadores tienen una tarea: dinamitar las fortalezas que armaron los chulos. Para eso contarán cada uno con el apoyo de dos hombres, y además les vamos a dar con todo, con los morteros, las ametralladoras y el fuego de los fusiles. Esos chulos salen porque salen de San Francisco de los Colorados.

"Para frenarles algún refuerzo, si lo tienen, porque el mal tiempo no va a dejar volar a los helicópteros y por el río no se atreven, las escuadras de Toño, que ya están cerca de la zona del ataque, van a vigilar no sólo la vega del río sino los alrededores del pueblo. Tranquilos que vamos a marchar sin prisa, con paso reposado; tenemos tiempo. El ataque será de noche. Delante de nosotros ya van las mulas, cargadas con los explosivos.

"No olviden camaradas que los tres primeros minutos son definitivos. Hay que aprovechar esa primera ofensiva para coger a los chulos fuera de base, dormidos o sentados en el baño leyendo periódicos viejos y cagando. Los perseguidos de ayer somos los perseguidores de hoy, camaradas –gritó el Catire y, de inmediato, hizo el ademán de que disparaba sobre la maqueta, simulando el ruido de una ráfaga con sus labios–: ratatatatattaratatatatata.... –dijo, mientras barría la maqueta con la culata de su fusil y soltaba una carcajada. Vamos con todo hijueputa. Los perseguidos de ayer somos los perseguidores de hoy –gritó una vez más y dio la orden de emprender la marcha.

–¿SANTO DIOS, y ahora qué más nos irá a ocurrir en este condenado San Francisco de los Colorados? –se preguntó Evarista, una mujer de belleza marchita, con la cara ajada por los soles de muchos días y las manos maltratadas por las ollas calientes de tantas jornadas–. Hay mil pueblos más y preciso nos toca a nosotros. Nos vamos a donde la comadre Flor a fiar algo de mercado y enseguida nos encerramos y trancamos la puerta y las ventanas. Vengan niños –les gritó a dos pequeños que correteaban ajenos al murmullo campesino que crecía al abrigo del samán–. Isabel, Isabel, ¿qué se hizo esta muchachita? –reclamó Evarista.

–Isabel, mijita, camine ya. ¿No oyó lo que acaba de anunciar el sargento Tierradentro? Los muchachos de Efraín van atacar el cuartel esta noche –exclamó Evarista al descubrir a la adolescente detrás del tronco del árbol, abrazada a un soldado que tenía el megáfono en una mano y en la otra una carta sellada, todavía sin abrir.

–Me escribió mamá Ruth –le decía Agustín a Isabel–. La carta me llegó esta mañana pero por puro agüero sólo la voy a leer después del ataque.

–Ya voy, mamá. Ya voy –le contestó Isabel a Evarista.

–Que Dios lo cuide y lo proteja –le dijo enseguida a Agustín y le estampó un beso en la boca.

Agustín avanzó unos pasos, luego se detuvo, la miró y ella lo trajo de regreso con sus ojos enamorados. De inmediato, Isabel se le colgó otra vez del cuello y lo cubrió de besos en las mejillas, en la boca, en la frente. Él se quería desprender y ella no lo dejaba.

–Isabel, me tengo que ir ya –le insistía Agustín–. Mi sargento se va a enverracar.

–Ya va mi amor, ya va, otro besito y no más –le repetía Isabel.

–Vámonos muchachos, ya le dije a esta gente lo que había que decirles. Vámonos a esperar bien atrincherados a esos bandidos –dijo el sargento.

Tierradentro y sus hombres se dirigieron al cuartel, mientras los campesinos iban a sus ranchos.

Evarista, Isabel y los dos niños hicieron una estación en el granero de doña Flor, que ya cerraba su negocio. Evarista pidió arroz, panela y pan. Doña Flor, envuelta en un pañolón de lino, la atendió, sacó el cuaderno de los créditos y anotó el valor de lo despachado en una página encabezada con el título de "Comadre Evarista".

–Ay, comadre, no va y sea que le toque pagarle a mis huérfanos –le dijo Flor a Evarista, mientras escribía con un trajinado lápiz, que había perdido su donaire inicial. La piel amarilla se había escarchado y ahora tenía el color de la madera desnuda; el borrador que lo coronaba semejaba un viejo y sucio sombrero.

–Por Dios comadre, no diga esas cosas.

–Ay comadre, vaya a saberlo mi Dios, alguna bala perdida y hasta ahí llega uno. A los muchachos de Efraín los ve uno hasta en la sopa. Han estado rondando por el pueblo. ¿O acaso usted, que vive a espaldas del cuartel, no se ha dado cuenta? Pobre Sargento Tierradentro. Yo creo que él, pese a lo bravo que está y a las vainas que nos echó, no sabe bien lo que se nos viene encima. Acuérdese que hoy es lunes, un día que sabe amargo, y acuérdese que estamos en abril, un mes con el olor de la tristeza.

Flor trajo a la memoria, aunque no lo mencionó, como si

decirlo la comprometiera de alguna manera, la visita de la semana anterior de un muchacho y una muchacha muy bella a la tienda. Eran jovencitos, se dijo, vestidos de paisanos, pero estoy segura que formaban parte de las guerrillas de Efraín. Al mirar a Isabelita, la hija de su comadre Evarista, Flor recordó, por un instante, a la guerrillera que le había pedido una coca cola y había preguntado, como si andara buscando novio, si era cierto que los soldados salían con frecuencia a dar vueltas por el pueblo. Pero no supo por qué, ni qué asociación hacían sus neuronas y la idea desapareció, diluida entre el bosque de los pensamientos efímeros, poblado por ese millón de ideas vagas que se esfuman antes de asentarse.

–El sargento Tierradentro sí sabe dónde está parado, comadrita –aseguró Evarista–. De pendejo no tiene un pelo, a lo mejor hasta ya sabe quiénes son los que han hablado con los muchachos de Efraín en el pueblo. –(Flor celebró su reciente silencio: menos mal no hablé de la muchacha que pidió la coca-cola y de su compañero, pensó)–. Y tranquila que mañana, como usted misma me ha enseñado, será martes, un día en que el mundo ya anda a su paso, y dentro de poco nos llegará el mes de mayo, que trae menos lluvias –dijo Evarista tratando de tranquilizar a su comadre.

En San Francisco de los Colorados se oía el movimiento de las olvidadas trancas, resucitadas para ser colocadas en las espaldas de puertas y ventanas. Un perro escuálido husmeaba sin rumbo por la calle de las Bienaventuranzas. Caía una lluvia ligera y el cielo, otras veces de un azul esplendoroso, tenía el color de la melancolía. A la distancia se percibía un grupo de personas en marcha hacia la trocha que desembocaba en el embarcadero. Se veía a una mujer tirando de un chivo, seguida de tres pequeños. Detrás de ella iba otra señora, corvada por el peso de los años, con una palangana que bailaba un lento vals sobre su cabeza y, a su lado, dos menores que parecían estar amarrados de su mano izquierda. Las pisadas de las dos mujeres y las cinco criaturas se perdían sobre la hierba húmeda. Sin sembrar huella. Como si fueran los pasos de unos pies hueros, a los que les estaba prohibido afirmar su planta sobre la tierra. Condenados a una diáspora sin mañana ni regreso.

Isabel le ayudó a Evarista a cerrar puerta y ventanas, a preparar el arroz, las papas y un trozo de carne y luego a servir la comida. La adolescente no se dio cuenta del peso de la zapa de madera que atravesaba la puerta, ni siquiera supo en qué momento la colgó de sus dos soportes laterales. Tampoco, si le preguntaran, podría decir si el arroz le quedó bien remojado, ni aún afirmar que lo puso a cocer en la olla con agua, ni tampoco señalar que peló las papas con el cuchillo de mango de loza, aunque todo lo hizo con diligencia. No había dejado un segundo de pensar en Agustín. Su mente revoloteaba alrededor de él.

Primero lo cobijó en su imaginación con una ternura protectora. Dios mío, que no le me vaya a pasar nada, protégelo, que todo sea una equivocación y los muchachos de Efraín vayan a atacar otro pueblo, de tantos que hay. Navegó sobre esa idea y vio a Agustín, a la mañana siguiente, contándole que todo había sido una equivocación de mi sargento Tierradentro, que Radiolo iba a preparar una frijolada para celebrar con una gran comilona la buena nueva, que el asalto había sido a otro cuartel, que ahora sí iba a leer la carta de mamá Ruth que le había llegado el lunes.

Después, poseída de su joven pasión, Isabel deseó a Agustín, quiso estar junto a él en la vega del río, junto al abrigo del planchón solitario. Recordó la primera vez que lo vio. Fue un jueves, el día con el humor de la paciencia, según el recetario de doña Flor.

Desde que veo a Agustín me doy cuenta que me gustan sus ojos negros, sus cejas y sus pestañas pobladas, y el cabello rapado que se le ve lo más de lindo. Ellos vienen desde la brigada de Pueblo Grande y se quedan en la escuela, que está abandonada. Ponen escudos en la entrada y una bandera, y meten adentro, en los salones, camarotes, ollas, armas, uniformes, de todo, y empiezan a hacer la formación todas las mañanas en el patio del recreo, junto a la imagen de la Virgen de la laguna.

Vamos Isabel a ver los soldados –me dicen mis amigas– y damos vueltas frente del cuartel, donde ellos viven dedicados a hacer zanjas y construcciones. Otras veces los buscamos en la plaza, cuando salen a patrullar. Cuando llegan las fiestas de la Virgen de la Laguna, hay baile en la caseta y él llega ahí, con unos compañeros. Se demora un rato, bebiendo cerveza y riéndose con ellos, pero al fin, cuando ponen una salsa, me invita a bailar y me dice al oído que tranquila, que me deje llevar de él y no me preocupe tanto por el ritmo.

Cuando salimos de la caseta, vamos hasta el samán y ahí, debajo del árbol, me abraza y me besa. Me pregunta que si ya somos novios, yo le digo que sí, que ya somos novios. Después me dice que me va a hacer otra pregunta, pero que le prometa que le voy a decir la verdad.

–¿No es cierto que el pelo así de cortico se me ve muy mal?

–No, a mí me parece que se le ve muy bien –le digo.

–¿Seguro?

–Sí, seguro.

Agustín me muestra fotos de antes de estar en el Ejército,

y de verdad el pelo le tapa el cuello. Parece como un guitarrista que canta baladas o un trapecista del circo. Después me enseña otras, en las que aparece con el que es su mejor amigo, el mono Guillermo, ambos con uniforme de futbolistas. Una noche Agustín me jura que cuando salga del Ejército lo primero que va hacer es ir a buscar al Mono para ayudarle. Me cuenta que no lo ha vuelto a ver, pero que su mamá, doña Ruth, durante sus dos visitas a la brigada de Pueblo Grande, le trae todas las historias de su barrio.

El mono Guillermo, después de dejar la cárcel y jugar el célebre partido contra la segunda del club Atlético Premio empieza a beber alcohol puro y a fumar bazuco, un derivado de la cocaína.

Sus padres, desesperados, no saben qué hacer con él, a dónde llevarlo, hasta que una mañana atravesada se encuentran con el profesor Aristizábal, el estricto prefecto de disciplina del liceo, el blasón de la autoridad infalible.

–¿Qué consejo nos da profesor? ¿Qué camino cree que debemos seguir con este muchacho?

–Llévenlo –les dice Aristizábal, sin el más mínimo asomo de duda–, al sanatorio mental de San Juan, les aseguro que allá recuperan a ese vergajo.

A llevar al mono Guillermo vienen dos enfermeros gigantones, seguidos de dos policías. Lo sorprenden dormido en su casa, le ponen a la brava una camisa de fuerza y cargan con él, que sale dando alaridos, como una fiera herida.

–¿Malparidos, hijosdeputa, para dónde me llevan? ¿Con permiso de quién? ¿Qué ley los autoriza? –les grita a los dos hombres vestidos con el uniforme blanco de rayas negras que usa todo el personal del San Juan.

"Qué triste ver al Mono Guillermo, los gritos le salen como del alma, me parece que tiene un dolor muy grande" le cuenta Ruth a Agustín durante su última visita a la brigada de Pueblo Grande. "Recuerdo a la mamá que llora en la puerta, a los hermanos grandes que le ruegan que se calme y al papá callado. A mí me da hasta pena que la mamá del Mono me vaya a ver, pero es tal la gritería y el desconcierto que ni me mira. Esa mañana yo voy para la iglesia a hacer mi meditación y me encuentro con semejante zaperoco.

"A Guillermo se lo llevan al sanatorio, y allá le ponen esos choques eléctricos durante dos meses, y luego, en una junta médica los psiquiatras y toda esa gente le dicen que ya está bien, que se vaya para su casa. Pero más demora el Mono Guillermo en salir de allí, que en regresar a sus andanzas. Compra alcohol en las droguerías y se lo toma con gaseosa y limón. Huy, no, mijo, pobre muchacho y pobre familia. Sólo de vez en cuando, una o dos veces al mes, se deja ver por la calle Catorce.

"Yo lo vi ahí hace poco, cerca a donde están construyendo el centro comercial de la ciudadela Córdoba. Me lo muestran y me dicen: Mire, ese es el mono Guillermo. No creo que sea él, les respondo yo. Mi hijo Agustín, el militar, jugaba fútbol con el Mono y a veces iban a la casa; imposible que haya cambiado tanto. Pero lo miré bien y sí. Era él, mijito. Se veía como envejecido, con la ropa de varios días sin cambiarse y los ojos ausentes. Si se le aparecen el papá o los hermanos se vuelve como un animal salvaje. Abre la boca hasta donde le da y lanza unos alaridos que meten miedo, da susto oírlo. Por eso cuando va al barrio, hasta ellos lo evitan.

"Pobrecita la mamá. La vi un día en la iglesia del barrio; tenía una foto del mono Guillermo puesta frente a la imagen de la Virgen de la Laguna. Le había prendido una veladora y estaba de rodillas, rezando. Me saludó y me dijo que lástima que el padre Carlos se hubiera ido. ¿Se acuerda mijo del sacerdote que lo bautizó, el del grupo de teatro infantil La Barraca?, que si él no se marcha otro gallo habría cantado, decía la señora. Que tal vez el padre Carlos sí habría encontrado la manera de rescatar al Mono, invitándolo a participar en alguna obra de teatro a que exorcizara sus angustias, en algún taller de actuación para que descubriera sus verdades, en un diálogo descarnado frente a los espejos, en algún recital de poesía, en algún equipo de fútbol o en algún grupo de terapia, en alguna cosa que él habría inventado. De verdad mijito que la señora tiene razón, cuánta falta nos hace el padre Carlos a todos. (A lo mejor, mijito tampoco estaría aquí, piensa Ruth sin comentarlo. Tal vez el padre Carlos habría solucionado el problema en el liceo.)

"A ella, a la mamá" continúa Ruth, "el Mono la deja que se le acerque. Pero eso sí, máximo a media cuadra de distancia. Si ella se arrima más, él se retira. Cuando le avisan que el Mono Guillermo anda por la Catorce, la mamá sale y le lleva comida y ropa en una bolsa. Los dos se miran. Cuando ella se le acerca, él empieza a alejarse. Ella se detiene y él también. Ella camina hacia donde está el Mono y él se distancia, hasta que la viejita se cansa de intentar acercársele y le deja la bolsa en alguna banca, se aleja media cuadra y se para a observarlo y él va y recoge la comida y la ropa y alza la mano, como diciéndole que gracias. Ella también alza la mano y él se marcha y ella se queda mirándolo, bañada en lágrimas. Qué no daría la mamá del Mono por tener en la casa a su hijo, por cuidarlo, por protegerlo, por ofrecerle su amparo. Es muy duro observarlos, mijito, verlos tan cerca y tan lejos" dice

Ruth y llora. A Agustín también se le escapan unas lágrimas mientras caminan por la plaza de Armas en la Brigada, el día de la visita.

–Cuando salga de aquí, y ya no me faltan sino ocho meses, voy a buscar al Mono y lo voy a llevar a jugar fútbol día y noche, para que corra hasta fundirse, para que sude hasta secarse, y verá que bota toda la basura que tiene adentro y se pone bien –le repite Agustín a Isabel, una de aquellas noches en que él habla sin descanso, no sólo del Mono, también de la abuela Amelia, de sus padres, del liceo, de su hermana Alejandra.

Pero no le menciona a Ester, de ella no habla con nadie, ni siquiera con el Zambo Belarmino. Apenas si le pregunta a su mamá, en una de las dos visitas que le hace mientras permanece en la brigada de Pueblo Grande.

–Mamá, ¿Ester no averigua por mí? ¿No me pregunta?

–No mijo. Yo casi no la veo y como sumercé me dijo que no le fuera a contar nada, no le he conversado del tema.

–Cuéntele mamá que estoy aquí, a ver qué dice.

–Pero ella lo sabe, cómo no lo va a saber, si lo sabe todo el liceo y todo el barrio. Si no averigua por usted, mijito, es porque no quiere. Su hermana Alejandra sí le envía muchos saludos y abrazos. Ella todos los días se acuerda de usted, del niño de la casa.

–El niño de la casa, así me ha dicho siempre mi hermana Alejandra –le cuenta Agustín a Isabel bajo el samán–. Ella me lleva como dieciséis años; yo cumplí diecinueve y Alejandra creo que ya tiene treinta y cinco. Mi mamá, después de que tuvo a Alejandra, vio cómo el tiempo pasaba y pensó que ya no iba a tener más hijos, hasta cuando aparecí yo. A lo mejor por tantos años que me lleva Alejandra es que somos como de dos planetas, casi no hablamos, aunque reconozco que el Ejército nos ha acercado un poco. Ahora que no nos vemos como que nos queremos más. Desde que yo era pequeño, ella me decía, vos no sos más que un chinito consentido, y yo le respondía y usted no es más que una flaca grande y fea, por eso es que no consigue un macho. De niño yo me salgo a la calle y mi papá la manda a buscarme. Pobrecita, da vueltas por una y otra calle y yo me escondo en el billar del barrio, porque sé que ella no puede entrar ahí. Siempre que la recuerdo, la veo salir para el trabajo por la mañana y la veo llegar por la noche a la casa. Dice que viene muy cansada, se quita los zapatos y se pone a mirar televisión. Si el mono Guillermo está en la casa de visita, habla un rato con él, los dos hacen como buenas migas. Cuando a mí me echan del liceo, Alejandra me recuerda varias veces que ella no pudo estudiar porque cuando tenía mi edad no había liceos, que le había tocado trabajar en la galletería de los Urueña desde muy joven, y que yo, que sí tuve la oportunidad, la desperdicié. Le respondo que no sea sapa, que por sapa es que no consigue un varón que le haga compañía, siempre es que yo la ofendo cuando me da por joder. Pero a veces pienso que tiene la razón, que lo mejor sería haber continuado en el liceo, no haberme metido en semejante embrollo.

Desde ese domingo por la tarde, cuando bailamos en la caseta y nos besamos debajo del samán, estoy de novia de Agustín. Isabelita, yo la amo, me ha dicho él muchas veces en estos cincuenta y tres días que llevamos. Nos vemos casi siempre los domingos y a veces entre semana, cuando él sale a patrullar con Belarmino, al que le dicen el Zambo, y con dos más: uno al que llaman Radiolo y otro al que le dicen El Orejón. Cuando no nos vemos, me escribe unos papelitos muy románticos, que me deja con los que están de guardia en la entrada de la antigua escuela:

> Isabelita, estoy triste porque apenas es lunes. ¿Cuándo volverá a ser domingo? Esta madrugada me soñé contigo, estábamos los dos solos en el samán, besándonos y luego nos fuimos juntitos, abrazados hasta la vega del río y nos metimos debajo del planchón. No había nadie más por ahí, ni un alma siquiera se oía respirar. Tú y yo solos, con el agua y la noche como únicas compañías: Agustín.

Mi mamá Evarista empezó a sospechar. Los domingos después de la medianoche, cuando yo llegaba de verme con Agustín, me decía que no se me olvidara que los soldados un día anochecían y al otro no amanecían. Me recordaba lo que decía papá Ramón, que mucho cuidado con ir a equivocarme, porque a una mujer con hijos no la quieren tan fácil. Mamá Evarista me decía que mi padre, alma bendita, me quería mucho, que recordara que él siempre deseaba lo mejor para mí. Yo sentía culpa porque mi papá había sido muy buena gente conmigo. En el pueblo todos lo querían a él, le decían el pecoso Ramón, porque su cara estaba llena de pecas, y lo respetaban porque era un gran cazador, hasta que un día se fue sin querer y nos dejó para siempre.

LA VIDA DE Ramón va y viene, avanza y se devuelve, recorriendo la circunferencia que anda de la luz tórrida, las parcelas quemadas, los ríos apagados y las noches limpias, a los vendavales bíblicos, la tierra inundada, los raudales vigorosos y las vigilias caladas. Es una vida, como tantas otras, seca y mojada. Virgen de la Laguna, ruega él, en unas épocas del año, con su fe campesina entregada toda en sus oraciones, que llueva pronto, o no me va a crecer el yucal. Virgen de la Laguna, pide otras veces, con idéntica devoción, que pase este invierno ya y venga el sol, si no se me mueren los platanales.

Así se van sus años, hasta que un Viernes Santo aparece en San Francisco de los Colorados una Mujer de imponente presencia. Alta y blanca, de cabello negro muy largo, viste unos vaqueros que insinúan una nalgas duras, redondas y paradas. Calza botas con espuelas y carga un zurriago en la mano.

Llega acompañada de hombres armados, uno de ellos se distingue porque viste una bata blanca y una corbata amarilla. La Mujer atraviesa la calle de las Bienaventuranzas y a su paso se detiene la procesión que marcha recordando el viacrucis de Cristo camino al monte de los Olivos. El pueblo entero fija sus ojos en ella, atraído por el imán de su figura. La Mujer convoca a los campesinos a la tienda de doña Flor, les ofrece cerveza, y enseguida, con una pasmosa convicción, como si ellos la esperaran desde los más remotos días, se sube en el mostrador de la tienda, apoyada en dos de sus hombres, y les enseña una semilla.

–Se llama la Pajarita, la traemos del sur y la reclaman a

gritos en el norte. Y oigan bien, hace auténticos milagros. Vuelve rico a todo el que la cultive –les dice en tono premonitorio.

–¿Y cómo es la cosa? –le pregunta Ramón, seguro de tener la vocería de sus paisanos.

–Yo les doy la semilla, les dejo los indios que les enseñan a cultivarla y les pago hasta cien mil pesos por cada hectárea, cuando me raspen las hojas –les responde–. Aquí mi colega, el doctor –y señala al hombre de la blusa blanca y la corbata amarilla–, vendrá a ver cómo vamos, aunque voy a estar muy pendiente de ustedes, tal como lo ha ordenado mi patrón.

–¿Y cuántas cosechas son?

–Mire amigo, después de la primera siembra que dura diez meses, las matas rinden que da miedo, son varias cosechas al año. Pero cuidado porque esto es asunto de hombres de palabra. El que se apunte cumple o habrá problemas –dice ella y mueve la cara hacia un lado, levemente, señalando con su gesto a sus acompañantes.

–¿Y cómo sabemos que no nos está engañando? ¿Que no nos va a dejar engrampados? –pregunta Ramón.

–Todos los que se comprometan tendrán su anticipo.

Los campesinos asombrados traen a Julia, la maestra de la escuela, para que haga las cuentas y les diga cuánto podrán recibir en el primer año y, sobre todo, en el segundo.

–Señorita Julia, lo mío son tres hectáreas, ¿cómo sería la cosa? –le dice Ramón.

–¿A mí cuánto me tocaría, señorita Julia, si tengo un potrero de dos hectáreas y otro de una y media? –pregunta su compadre Olinto.

Las cifras de la maestra corresponden a las que da la Mujer, cuya soberana estatura gobierna en la tienda de doña Flor, mientras se pasea de mesa en mesa calculadora en mano.

–¿Cuándo en la vida habíamos visto algo así? Nunca, ¿sí o no? compadre Olinto.

–Sí compadre Ramón, esto es un milagro.

Ese mismo domingo, los campesinos forman fila para recibir el anticipo que la Mujer y el hombre de la blusa blanca y la corbata amarilla sacan de unos bultos repletos de dinero. Mientras anotan el nombre de cada uno en una libreta, los miran a los ojos y les advierten una vez más que nadie se puede correr.

Evarista cree que Ramón se ha vuelto loco. Que su paciencia trastabilla por primera vez. Ramón quiere que el tiempo vuele y que la noche se vaya sin llegar, desaparecida entre sus propias sombras. Que amanezca ya y el día se marche sin dejarse sentir, sin que sus horas existan ni su luz se vea. Quiere que las semanas se esfumen desbocadas y que detrás de ellas corran los meses tan rápido que no se alcance siquiera a pronunciar su nombre. Quiere que florezca ya la primera cosecha. Vive contemplando durante largas vigilias las plantas de hojas ovaladas.

Una media noche en que logra conciliar el sueño, despierta sudando, como poseído por una ráfaga atravesada.

–Evarista, Evarista, vaya y tráigame ya a la maestra Julia, es que quiero que me ayude con unas cuentas.

–Es imposible Ramón. ¿Cómo la voy a despertar a esta hora?

–Tráigala, por favor, si no esta cabeza mía se va a reventar en pedazos. O me la trae o yo voy por ella.

–¿Cómo así? ¿Qué tal usted, Ramón, el marido de Evarista, golpeando en medio de la oscurana en la casa de la maestra Julia? Santo Dios que diría el vecindario.

–¿Si ves, Ramón?, si aprendieras a sumar y a restar, sufrirías menos y no me despertarías tan temprano–le dice Julia, quien le ayuda a hacer las cuentas por enésima vez.

Ramón, Olinto y todos los otros campesinos de San Francisco de los Colorados siembran la semilla de la Pajarita, gracias a la experimentada ayuda de unos indígenas que trae de la sierra la Mujer de las espuelas.

De tiempo en tiempo, ella llega a San Francisco de los Colorados a bordo de una potente lancha. Su alta talla sobrecoge a los campesinos y despierta una celosa admiración en las mujeres. A veces viste blusas sin mangas, otras veces camisas con los dos primeros botones abiertos. De vez en cuando usa un sombrero alón.

–Señor inspector –saluda ella–, cómo le va, le traigo la encomienda que le mandó el patrón. Él le manda a decir que siga así.

–Doctora buenos días, ya sabe que estoy para servirle a usted y al patrón, le responde la primera autoridad del pueblo.

–Gracias inspector. ¿Cómo está de elegante no?

–No, no tanto –dice él, sonrojado–. Sólo como para atenderla a usted.

–Bueno, lo que importa es que no se nos vaya a torcer.

Tras hablar con el inspector, ella hace una ronda por los cultivos, con un corrillo de niños rodeándola. Los campesinos, atentos y cazurros, la escuchan.

–Corten aquí, más agua para estas matas, a la próxima los surcos menos juntos –dice.

A los diez meses las matas crecen y se pueblan de hojas, que Ramón y sus amigos raspan en largas jornadas. La Mujer trae varios costales de dinero y los reparte entre los felices cultivadores.

San Francisco de los Colorados parece entonces una pequeña casa rodeada de un inmenso jardín. La Pajarita florece y sus drupas rojas cubren los campos de la comarca. El vergel de hojas se estira por doquier, hasta más allá del horizonte, como si caminara sin cesar y a su paso fuera copando selvas, sierras y valles.

La fiebre de la Pajarita trae cada vez más gente a San Francisco de los Colorados. Muchos trabajadores de las plataneras, de los cafetales y de los ingenios de azúcar dejan sus tareas, cruzan las cordilleras y llegan a raer las hojas de las matas milagrosas. La plata, como no ha ocurrido en los años de historia de San Francisco de los Colorados, brota a borbollones.

Detrás de la Mujer llega una vorágine de gentes, las fiestas de la Virgen de la Laguna alcanzan su pico más alto, hay orquestas, corridas de toros y clásicos de fútbol. Monseñor imparte sus bendiciones y el señor ministro, don Roberto Bordado, inaugura la pavimentación de la calle de las Bienaventuranzas y el reinado de belleza, con participación de las candidatas de las principales capitales.

Los nietos de don Pedro Fernández y don Fernando Pedroza son los invitados de honor y los encargados de presidir el jurado que escoge a la nueva reina. Lo acompaña en esa tarea el viejo Efraín, que vive en una inmensa finca cerca de San Francisco de los Colorados.

–Cómo son de chiquitos estos sanfrancisqueños colorados, –le comenta uno de los nietos de don Pedro Fernández a uno de los nietos de don Fernando Pedroza, mientras comen, beben y disfrutan de su propio festín.

El jurado delibera durante dos días con sus noches en medio de la fiesta y el jolgorio, la música mexicana y los juegos pirotécnicos. Las calles están cubiertas de ramilletes de bombas de colores, racimos de frutas y ramos de flores rojas. Los desfiles de los caballos de paso y las yeguas bailarinas con las candidatas a bordo, convocan a la multitud que como un río humano se vuelca a ver el paso de la cabalgata.

–Que viva la fiesta –grita el nieto de don Pedro.

–Que viva este pueblo que nos tocó en suerte, carajo –responde el nieto de don Fernando.

Las gentes esperan impacientes porque el jurado no llega a un acuerdo sobre la candidata que debe ser escogida como reina.

–Esa no me gusta, don Efraín, está como muy cuadrada, como pasada de años. Yo prefiero a la rubia que se ve más buena –dice el joven Fernández.

–No, la que está mejor es la trigueña, mire ese culo que tiene, esa es la que yo elijo –replica Pedroza.

–Yo no vine a perder el tiempo. Primero pónganse de acuerdo ustedes dos y luego hablamos –les advierte el viejo Efraín.

–No nos amenace, que a un Fernández o un Pedrosa nadie les pone condiciones.

–Pues yo sí. Si no me amedrentaron sus abuelos y sus taitas, mucho menos lo van hacer ustedes, par de guámbitos atontados –les advierte el viejo Efraín, que molesto se pone de pie y se marcha para su finca sin cercas ni alambrados.

El reinado está a punto de suspenderse, las fiestas pueden entrar en barrena, los comerciantes del pueblo se pueden quebrar y los jóvenes Pedroza y Fernández no tienen otra alternativa que mandarle razón al viejo Efraín que vuelva, que siga siendo miembro del jurado, que no los deje plantados.

–Que vengan ellos aquí a buscarme –les responde el veterano y mañoso campesino.

–Camine hombre –le dicen Pedroza y Fernández y le echan el brazo encima–, vamos a escoger a la cuadradita, la que usted dice, y no se discuta más.

–Por fin, tras una larga y muy productiva ronda de reuniones el jurado se ha puesto de acuerdo –advierte Pedro Fernández desde el micrófono, mientras alza su dedo índice y señala a la ganadora, a la que llama moviendo ese mismo dedo hacia abajo.

–¿Yo? No puede ser Dios mío –dice la nueva soberana mientras llora de la emoción. Se acerca a la mesa donde recibe los besos del viejo Efraín y de los Pedros Fernandos. Efraín, que todavía conserva relucientes sus dientes de oro, y sus jóvenes compañeros del jurado se juntan en un solo abrazo, momentáneo y feliz, con la reina de las fiestas de la Virgen de la Laguna. Brindan, una vez más, por el futuro de San Francisco de los Colorados.

–¡Que viva la fiesta!, carajo –insiste Fernandito.

–¡Que viva! –responde la multitud, que aplaude frenética mientras se emborracha en la plaza principal a la sombra del samán.

En la calle de las Ánimas Benditas se abren unas ventas nocturnas de cerveza, atendidas por mujeres semidesnudas que no escuchan los reclamos airados de doña Flor y las escandalizadas vecinas, que han rebautizado esa vía con el nombre de la Calle del Pecado. Ramón, Olinto y otros campesinos organizan allí un segundo reinado. El de verdad, dicen ellos.

Recién que comienza la bonanza se aparecen seis de los muchachos de Efraín y recorren los cultivos de Pajarita.

–Compañeros agricultores, buenos días, soy el comandante Antonio. Les hablo en nombre de la Revolución y en nombre del ejército del pueblo. Para seguir adelante con nuestra lucha, cada uno nos debe entregar una parte del dinero que está recibiendo por la Pajarita; nosotros sabemos exactamente cuánto es.

–Hace rato no venían y ahora vienen a quitarnos lo que es nuestro –se atreve a decir Ramón, en medio del asentimiento de los otros campesinos.

–¿Cómo así compañero agricultor? Nosotros somos los únicos que decidimos cuándo vamos a un sitio y cuándo a otro, en función de las necesidades de la Revolución. ¿O quién les va espantar al ejército oficial para evitar que vengan a acabarles los cultivos y matarles la gallina de los huevos de oro? Nosotros, que somos el ejército del pueblo.

–¿Y por qué nos van a acabar los cultivos? ¿Qué hay de malo en trabajar la tierra con la Pajarita? La paga es mucho más grande y la cosecha la recogen aquí mismo.

–Compañero agricultor, sembrar Pajarita es prohibido por el gobierno.

–¿Y por qué la prohíben?

–Porque es una orden de los gringos –advierte Antonio.

–¿Y quiénes son los gringos?

–Son los dueños del mundo y no más preguntas –responde Antonio, mientras alza su fusil y recorre con los ojos cargados de determinación las caras de todos ellos.

–Bueno compañeros agricultores –les dice–, cada uno entrega la cuota que le fijamos en nombre de la Revolución y punto.

Esa noche Antonio escribe una de sus Cartas Cerradas que, tal vez, sobreviva a la acostumbrada edición de fin de año:

> Hola, padre, te saludo con mucho afecto. Por momentos me marea esto de ser jefe, un asunto que no estaba en mis cuentas iniciales. Te cuento que la Revolución se está volviendo millonaria, porque con la fiebre de la Pajarita hay plata por montones. Cómo será la cosa que andan diciendo que hasta el papá del comandante Efraín está dedicado a sembrar Pajarita en su finca.

Lo cierto es que acá tenemos claro que con la Pajarita se benefician los campesinos y los que se envenenan son los consumidores del Norte. Esa es otra manera de hacer la Revolución y la guerra a los del Norte. Pero no sé, tanta plata nos va a terminar enloqueciendo. Cuando llegué hace unos años, teníamos unos fusiles viejos y no se podía gastar munición en las prácticas. Ahora, todos los días vivimos en cursos para aprender a manejar el armamento que nos llega de todas partes del mundo.

No sé qué va a pasar, cuál va a ser nuestro futuro. Hoy amenacé a los campesinos con fusilarlos si no pagan el impuesto de la Pajarita y después me sentí mal. Recordé los fusilamientos que ordenó el Che en Sierra Maestra, y me di cuenta que fueron otros los motivos. Pero bueno, yo soy un alzado en armas y los tiempos cambian y cada revolución es diferente. A lo mejor se trata, más bien, de mi complejo de pobre que anda suelto. Bueno padre, lo cierto sí es que para bien o para mal, la Revolución está haciendo su agosto con la Pajarita. Te quiero mucho y pronto volveré a escribir.

Al regreso de la Mujer, los agricultores le dan quejas.

–Los muchachos de Efraín nos cobraron una tasa. El comandante Antonio nos dijo que el impuesto lo cobra en nombre de la Revolución, doña, y nos amenazó con fusilarnos si no pagábamos –le comenta Ramón.

–¿En nombre de la Revolución?, la única revuelta que ha tenido este pueblo en toda su historia es ésta de la Pajarita, que trajo plata para los de arriba y los de abajo. Pero páguenle el impuesto a Efraín y sus muchachos, que no peleando alcanza para todos –les responde la Mujer.

–¿Le puedo hacer una pregunta? ¿Por qué es prohibido el cultivo de la Pajarita? –le dice Ramón.

–Porque así es que le sirve el negocio a todo el mundo, a los de adentro y a los de afuera. El día que no sea prohibido, se acaba la bonanza de la Pajarita. Y se acabó la conversadera, a trabajar.

–Camine, nos vamos ya, que ella se está poniendo como brava –le dice Olinto a Ramón y se lo lleva del brazo.

De jóvenes, Ramón y Olinto pescan juntos en noches de luna llena. Aprenden a esperar pacientes, aguas arriba de El Dorado, a que alguna trucha o un sábalo tire del anzuelo. También salen de cacería, en correrías de dos y tres días, con sus perros de monte, sus escopetas de fisto, una mochila de comida, la voluntad necesaria y el conocimiento suficiente para seguir el rastro de borugos, conejos y armadillos.

Un miércoles, día de las decisiones, según el recetario de doña Flor, al filo de la medianoche, irrumpe en la región de San Francisco de los Colorados un jaguar. El animal, en temibles excursiones, ataca las vacas que más leche dan. La gente aprende a identificar la presencia del jaguar por los desgarradores bramidos del ganado, que se estremece del miedo cuando huele la presencia de la fiera nocturna. Cuando los campesinos llegan al potrero apenas encuentran el esqueleto de la vaca. No ataca terneros ni novillos; sólo vacas lecheras. Varias partidas de caza son organizadas para ir en busca del animal, pero fracasan.

Ramón y Olinto estudian con paciencia campesina las rutinas del jaguar, hasta que una noche lo esperan en el paso de Dosquebradas, subidos en la copa de un árbol, armados de las mejores escopetas. Justo cuando un jueves, día de la paciencia, se vuelve viernes, día de las alegrías, siempre según las enseñanzas de doña Flor, lo ven venir. Anda con su tranco majestuoso, indómito y noble a la vez. Ramón, conmovido con la preciosa coreografía que observa, hace un esfuerzo para salir del trance en que está, apunta y le clava una bala en la mitad de los ojos, mientras que los disparos de Olinto atraviesan el pecho y el lomo del hermoso felino. El jaguar, doblado por la pólvora que estalla en su cuerpo, se detiene, como un bailarín clásico en el instante supremo de su danza, da dos vueltas sobre sí mismo, ruge herido y cae de medio lado.

El pueblo se despierta con la explosión de las balas. Mujeres y hombres, ancianos y niños se levantan y salen a buscar a Ramón y a Olinto, que con ayuda de otros hombres, que también buscaban al jaguar, lo traen en andas colgado de dos palos. Son las dos de la mañana del viernes cuando el inspector mide al animal. Tiene dos metros con veinte centímetros de largo y su lomo alcanza los noventa y cinco centímetros. Ramón se queda con la piel y la carne sirve para un asado, bajo la sombra del samán, al día siguiente. Doña Flor dona un guacal de cerveza, el inspector trae voladores y los lanza al aire. Hay un brindis colectivo y los niños juegan durante dos generaciones continuas a cazar al jaguar.

Ese es el último gran acontecimiento que ocurre en San Francisco de los Colorados, hasta cuando aparece, tiempo después, la Mujer del cabello tan largo que le cubre las nalgas.

–Compadre –le dice un día Ramón a Olinto, ya con varias cervezas en la cabeza–, a que uno para esta botella ahí, en el rabo de la doña y no se cae.

Alguna mañana de sábado, el día de las gratitudes, como asegura Flor, llega hasta San Francisco el hombre de la blusa blanca y la corbata amarilla. Viene sin ella. Visita a Olinto y le dice que le va a enseñar el verdadero arte de la alquimia, para que gane mucho más dinero y le asegura que la Mujer los está robando.

–Mis hombres han recibido entrenamiento militar por las

noches en la brigada de Pueblo Grande y con ellos vamos a espantar a los muchachos de Efraín y a todos los que les colaboren. Nada de pagarles tributos; al que les colabore lo fumigamos –repite varias veces el doctor de la blusa blanca y la corbata amarilla.

Detrás del rancho de Olinto arman un cuarto cubierto por un plástico negro y lo llenan de cemento y canecas de alcohol y químicos. La raspa de hojas de la Pajarita, que el doctor paga a mejor precio que la Mujer, va a parar al rancho de Olinto. De la noche a la mañana, Olinto se vuelve el hombre más rico de San Francisco de los Colorados. Sale entonces de viaje y regresa varios días después, estrenando ropa de paño y girando cheques del banco de Pueblo Grande.

–Vea señor inspector, ¿cuánto es que necesita prestado?, gire ahí usted que escribe y yo le garabateo mi firma –dice orgulloso Olinto.

Los cheques se hacen famosos y hasta los niños arrancan hojas de sus cuadernos y juegan a girar cheques: ¿Cuánto vale su payaso de tela? Yo se lo compro, tenga le doy un cheque. ¿En cuánto me vende su muñeca de papel? ¿Cuántos cheques quiere por su balón de trapo?, repican todos los pequeños a la hora del recreo en la escuela de la maestra Julia.

Ramón, que todavía no tiene chequera, prefiere guardar fidelidad a la esbelta Mujer. Está enamorado de ella aunque no se lo confiese ni siquiera a su propio corazón.

Un domingo, día de dos talantes, de encuentros y desencuentros, al decir de doña Flor, mientras Olinto bebe cerveza, la Mujer irrumpe en el pueblo, no saluda a nadie, sube presurosa a ver el cuarto que él ha construido con el doctor y regresa de inmediato. Olinto está recostado de lado, sobre la pared externa de la tienda de Flor, cuando ella llega por detrás, saca de entre sus pechos parados una pistola de nueve milímetros y le dispara justo en todo el centro de la cabeza. La explosión y un chorro vertical de sangre que brota del cerebro de Olinto sacuden a la población.

Ramón, refugiado en medio de la multitud, estrangula sus lágrimas.

–Ay mi compadrito, si yo lo hubiera sabido. ¿Qué voy hacer sin usted?

El cuerpo lo velan en la parcela. El ataúd es rodeado por cuatro cirios y durante toda la noche las mujeres rezan una y otra vez los misterios gozosos. Ramón siente, por un momento, deseos de prenderle candela a sus cultivos de Pajarita, a los de Olinto, a los de toda la comarca. Pero no.

Se va a su casa, a llorar la ausencia de su amigo y a brindar por su alma. Se bebe una botella de aguardiente, duerme y sueña que todo San Francisco de los Colorados está atrapado por las llamas. Ve el incendio extenderse de rancho en rancho, de vereda en vereda. La Mujer de la presencia cautivante camina desnuda entre el fuego, sin hacerse daño alguno. A su paso las llamas adquieren un mayor resplandor, crecen y se vuelven más azules, más rojas, más intensas, y cuando ella se aleja, regresan a su amarillo inicial.

Cuando el implícito recuerdo del crimen de Olinto recién se disuelve en la bruma de la desmemoria colectiva, los habitantes de San Francisco de los Colorados se despiertan una mañana con otra ingrata sorpresa. De una de las ramas gruesas de un sietecueros, cerca de su rancho, aparece colgado de una cuerda hecha con una blusa blanca y una corbata amarilla el pecoso Ramón. Tiene el cuello roto, los labios morados y el rostro lívido y duro.

De nuevo hay que desempolvar los cirios, las mujeres sacan sus camándulas para rezar los misterios gozosos y una afligida Isabelita llora su desventura.

–¿Qué le hicieron a mi papá? ¿No es cierto que está dormido? –pregunta la niña.

Evarista se abalanza sobre el cuerpo inerme, lo abraza desesperada mientras grita:

–Dios bendito, dígame que no es verdad. ¡Ramón! ¡Ramón!

Su lamento inunda a San Francisco de los Colorados, retumba al otro lado del río, se escucha en Pueblo Grande, después en la selva y más allá, pero Ramón no oye a Evarista.

Aparecen entonces los primeros helicópteros del gobierno que lanzan volantes ofreciendo una jugosa recompensa por la Mujer, su patrón y todos sus socios, en el Club se refrenda por unos días el acuerdo con el embajador del Norte para capturarlos, pero no encuentran a ninguno. Sólo se oye la explosión de las bombas ordenadas por la Mujer y su patrón, quien manda amenazantes razones a los del Club con el inspector: Dígales que les voy a volar su palacio de Versalles, con todos ellos adentro.

–Ya nombraron una comisión de beneméritos integrada por las figuras más prestantes del Club –le cuenta el inspector a la Mujer cuando se vuelven a reunir a la sombra del samán–. Están inspirados trabajando, crearon una teoría jurídica que viene a revolucionar el derecho. Dicen los del Club que la venta de la Pajarita se parece más a un delito político que a un delito penal, porque no lo realiza una sola persona sino una cadena de personas.

–Mi patrón se va a poner muy contento con esa noticia, dígales que por ahí es la cosa, que así no va haber más viudas ni más huérfanos en San Francisco de los Colorados.

Por esos mismos días, las primeras avionetas de la Fuerza Aérea sobrevuelan los cielos de San Francisco y descienden en veloz caída lanzando ráfagas de químicos sobre las matas de Pajarita, que se doblan, pierden su color y se vienen al suelo.

Una de esas ráfagas químicas cae sobre la escuela de San Francisco de los Colorados. Los niños enferman, uno de ellos desaparece en medio de unos cólicos demenciales y la profesora Julia, abatida con la noticia, se marcha para el monte a dar sus clases al aire libre, abandonando las aulas, a las que jura que no volverá.

–La escuela envenenada y sin niños –dice Julia, hablando consigo misma–, es el símbolo imborrable de la maldición que la bonanza de la Pajarita le trajo a San Francisco de los Colorados.

Mientras las avionetas van y vienen despidiendo sus chorros químicos, la Mujer del zurriago en la mano y su gente no vuelven al pueblo, que de a pocos regresa a sus lejanos días de caza y pesca, con sus cultivos de yuca y plátano que ya no producen las abundantes cosechas de antes.

Isabel, entre tanto, ya es la adolescente virginal que se emociona con la llegada del soldado Agustín, que con sus cejas y pestañas que parecen un bosque negro viene a despertar su ilusión. A contarle sus secretos, a escribirle papelitos inundados de palabras de amor.

Ella está acostada sobre la piel del jaguar, junto a sus dos pequeños hermanos. Han comido arroz con papa y han bebido aguadepanela. Evarista les ha ordenado tenderse en el piso, la luz está apagada y en San Francisco de los Colorados reina una temerosa afasia. Isabel no ha dejado de pensar en Agustín, desde cuando unas horas atrás se despidió de él, colgándose de su cuello y cubriéndolo de besos, tras escuchar al sargento decirle a todos los habitantes del pueblo que los muchachos de Efraín iban a atacar el cuartel esa noche.

Isabel sigue pensando en Agustín, rogando que nada malo le vaya a ocurrir, hasta que se duerme y sueña con la misma historia, que sólo recuerda mientras está profunda, pero que siempre olvida al despertar. Ve en la primera escena a una pequeña niña que corre detrás de una porra de artistas populares: un acróbata sobre una cuerda, un hombre al que le salen llamas de la boca y otro que esconde una paloma en el fondo de su sombrero de copa alta y ala estrecha. A la distancia, en un segundo acto, un anciano recostado a una pared, acompañado de dos imágenes difusas, intenta llamar a la pequeña pero ella no lo escucha. Entonces despierta. Se da cuenta de que está en casa, mira a la mamá Evarista y se abraza a ella.

–Hay que resguardarse y encomendarse a la Virgen de la Laguna –les dice Evarista, mientras cobija a Isabel y a los dos pequeños–. Que mi Dios y el alma bendita de Ramón nos tengan en sus santas manos esta noche.

CUANDO RETUMBÓ la primera explosión eran como las nueve de la noche. El cielo se iluminó y empezó la lluvia de candela por todas partes.

–¡Rápido! ¡Todos a los refugios! ¡Respondan el fuego! –nos ordenó mi sargento Tierradentro. Yo estaba en posición de combate desde hacía rato, pero el miedo no me dejaba accionar el gatillo. La mano derecha y la pierna izquierda me temblaban, la boca se me secó y creí que me iba a desmayar. Vi a Belarmino que empezaba a disparar su M-60. Tenía los dientes apretados y la rabia en los ojos.

–¡Vamos con todo mis soldados! ¡Duro con esos perros! –nos gritaba mi sargento. Pensé en mi abuela y en mamá Ruth, las vi junto a mí por un momento. Luego pensé, a ráfagas, en Ester y en Isabel, también en Alejandra y en mi padre, y me decidí, no sé cómo, a soltar una primera carga sin darme cuenta a dónde apuntaba. Sentí los fogonazos rompiendo el viento, el olor a pólvora que lo cubría todo y el pecho que se me sacudía. No sé cuánto tiempo pasó, si un minuto o dos horas, pero cuando volví a pensar tenía el cuerpo caliente y ya no tenía miedo. Toqué con mis dedos el bolsillo de la camisa y palpé la carta que aún no había leído.

En medio del estruendo que se oía encima del refugio, apreté el gatillo varias veces, con la culata del fusil recostada contra mi hombro, tratando de ver los movimientos de los muchachos entre las sombras de la noche.

–Cuiden su perímetro, cada uno el suyo –repetía el sargento Tierradentro. No los dejemos avanzar, fíjense de dónde salen los explosivos y apunten ahí. ¡Duro con esos perros!

–insistió mientras rociaba con su Gallil todo el frente del ataque, de donde venía el fuego del enemigo.

Los muchachos de Efraín estaban parapetados detrás de los frondosos moriches. Unos avanzaban arrastrándose, de frente y por los lados; otros estaban atrincherados, distribuidos en tres bloques desde los que disparaban sus morteros, el lanzallamas de las granadas incendiarias, ráfagas de M-60, y sus cargas en montón, hechas de dinamita y metralla, envueltas en costal y lanzadas con rampas montadas sobre el suelo. Operaban con un sistema parecido al de los morteros: una carga propulsora, cubierta con tierra removida y dispuesta debajo de una tabla rasa sobre la que descansaban los explosivos, que eran arrojados contra el blanco cuando se activaba el estopín de la bomba colocada bajo la madera y protegida con la tierra.

El sargento disparaba su fusil, que sostenía con la mano derecha y lo apoyaba apenas en el músculo del brazo, inspirado en una partitura que domeñaba con propiedad:

–Sin reventarlo mis lanzas –le decía a los soldados–. No se aferren al gatillo porque se quedan sin arma y sin munición.

Tierradentro se movía a sus anchas en la noche de la guerra. De su rostro tórrido parecían salir chispas, el sudor bañaba su cuello de toro y se le veía exultante. Pero a la vez conservaba un extremo control de sí mismo y del campo de combate. Desplazándose como un gato por entre la zanja y los tres refugios, ya percibía la estrategia del Catire, la posición de sus hombres y la distribución de sus fuerzas. Se dio cuenta de que conocían su estructura de defensa en detalle. Vio, en medio de los hongos de humo que se alzaban en espiral y entre los resplandores del fuego, que los muchachos de Efraín estaban divididos en tres grupos, con más de una docena de hombres cada uno, y que realizaban un ataque simultáneo y ordenado a sus tres refugios usando cargas en montón, granadas incendiarias, descargas de M-60 y rágafas de los fusileros. Detrás venía una segunda línea de ataque, que reforzaba la andanada y cubría cualquier flanco débil en la vanguardia.

No los podemos dejar avanzar, se dijo el sargento, no los podemos dejar avanzar, se repitió. Esos perros sorprendieron a los dos soldados que coloqué en el primer anillo de seguridad, por eso nos cayeron sin que nos diéramos cuenta en qué momento.

–Listo Catire, ya saltamos la primera cerca –le dijo el Ratón a su jefe por el radio, luego de que su escuadra y la de Frentonces atacaran entre el rastrojo a los dos militares del anillo de seguridad, que tenían el encargo de detectar la presencia de los muchachos de Efraín y correr por un sendero que sólo ellos conocían a dar la voz de alarma al cuartel. A uno lo golpearon en la nuca con la culata de un fusil y al otro le saltaron encima sin darle tiempo de moverse. Enseguida les taparon la boca con esparadrapo y luego los degollaron como hacía el jifero con las reses en el matadero de Pueblo Grande.

–Avancen, y cuando estén a trescientos metros, me avisan. Yo desde aquí les digo cuándo empieza el baile de verdad. Acuérdense que los tres primeros minutos tienen que ser con todo. Los vamos a acabar y ahí sí nos bebemos más de un aguardiente –respondió el Catire.

Unos minutos después, él mismo dio la orden por radio de atacar:

–¡Fuego! –dijo el Catire–. Los perseguidos de ayer, somos los perseguidores de hoy.

El Orejón Rodríguez y otros dos soldados fueron sorprendidos en la zanja, camino a los refugios, por la detonación de dos granadas de mortero. Los compañeros del Orejón fueron alzados del suelo por el zambombazo que los fulminó. Al Orejón la quijada le quedó medio desprendida del resto de la cara, que parecía partida en dos. Así lo encontró el sargento, quien lo sentó en la zanja, sacó una pañoleta camuflada y se la amarró partiendo de la cabeza, bajándola a lado y lado por las orejas, hasta hacerle un nudo ciego debajo de la barbilla.

–No se vaya a tragar la sangre, Orejón –le recomendó Tierradentro.

–No mi sargento. Veníamos de la cocina cuando cayeron esas granadas. ¿No es cierto que no es grave? –preguntó el soldado con dificultad, hablando como quien implora una respuesta. Tenía el semblante morado y la sangre que le cubría media cara empezaba a ponerse negra y espesa. Parecía a punto de desplomarse.

–Tranquilo soldado que de esta salimos bien y a la próxima no abandone para nada su puesto de combate –le respondió el sargento en tono paternal, tragándose la ira al ver a sus otros dos hombres poseídos en sus caras de niños por esa presencia quieta, detenida, sin respiros ni movimientos. El sargento arrastró al Orejón hasta el refugio central, mientras el cuartel y sus alrededores crepitaban estremecidos por las detonaciones. El soldado enfermero le aplicó al herido una inyección de Benzetacil y le colgó un frasco de suero en el brazo derecho.

Tierradentro regresó a la zanja cubierta de sacos de arena, tapó a los dos soldados muertos con una manta, recogió sus fusiles y los tiró dentro de uno de los refugios.

El sargento, en medio de las descargas, corría por entre la

zanja de un metro de altura que unía la zona de dormitorios, la cocina y el comedor, con los tres refugios que él empezó a construir con sus soldados a los pocos días de su llegada a San Francisco de los Colorados. Yo soy el arquitecto y Agustín es el ingeniero jefe, le decía por aquellos días a sus hombres, asombrado con el despliegue de conocimientos en esas lides de su soldado. ¿Y dónde aprendió usted la albañilería, Agustín?, le preguntó alguna vez. Mi padre es un maestro muy verraco, tiene más de treinta años de trabajo en la constructora de los Urueña allá en la capital, le respondió Agustín.

Se trataba de tres pequeñas fortificaciones de unos cuatro metros de radio cada una, construidas en el amplio frontal del cuartel. Una en el centro, otra en la esquina izquierda y una más en la derecha. Habían sido hechas metro y medio bajo tierra y cuarenta centímetros hacia arriba, por encima del nivel del suelo, con paredes interiores y un techo relleno de concreto y varilla de hierro. Entre la parte superior y el nivel inicial del suelo dejaron unas rejillas o ventanas por donde los soldados disparaban sus fusiles, su ametralladora y lanzaban sus granadas.

Las tres fortalezas, como Tierradentro las llamaba, estaban unos metros afuera del cuartel y la zanja por la que se accedía a ellas cruzaba debajo de la pared de la escuela donde la profesora Julia alguna vez les enseñara a los niños la historia de un país que perdió su brazo derecho a punta de garrote.

–Aquí aguantamos mientras llegan los refuerzos –repetía el sargento–. Hay que cuidar la munición. Disparen a donde vean que nacen los fogonazos de ellos.

De nuevo Tierradentro llegó al refugio donde estaba Radiolo con el equipo y se comunicó con la brigada.

–Mi coronel, otra vez soy yo, nos está lloviendo dinamita al por mayor. ¿Quiubo de los refuerzos? –preguntó.

–Aguante Tierradentro, ya arreglaron los helicópteros. Apenas aclare un poco salen a apoyarlos.

–¡Vamos con todo, mis lanzas! Ya vienen los refuerzos –les dijo Tierradentro a sus hombres.

El sargento empezaba a preocuparse. Sabía bien que si no aparecían los apoyos las cosas se complicarían. No estaba seguro de poder sostener el combate hasta el amanecer. Tenía apenas de a tres hombres en cada uno de los refugios; otros dos habían muerto en el primer anillo de seguridad, dos más en la zanja y había uno herido de gravedad. Si el tiempo sigue así, esos bichos no van a poder volar y ahí si nos lleva el putas, pensó Tierrandentro. El sargento sacó energías de su estómago y siguió moviéndose, con vocación de suicida, por entre los tres refugios para dar instrucciones a sus hombres. La absoluta confianza con que lo que hacía parecía protegerlo del estallido de balas, morteros y granadas.

Al llegar a donde Agustín una vez más le indicó con precisión los blancos a los que debía apuntar, como si pudiera ver en la noche con la claridad con que lo hacia en el día.

–Métales una ráfaga allá, delante de la palma de cumare. Ahí tienen una rampla de esas –le dijo y enseguida él mismo disparó una granada, que le pareció que sacudía a uno de los grupos enemigos. Luego se fue al refugio de la otra esquina, donde estaba la M-60 y señaló el objetivo. Sus indicaciones no fallaban y la avanzada de las guerrillas era, por momentos, detenida.

Mercedes estaba en la línea de vanguardia, de ayudante del hombre del lanzallamas, que manejaba el mortero que disparaba unas granadas, cargadas de alquitrán, pólvora, fósforo blanco y dotadas de un mixto inflamable. Estos artefactos, al chocar contra cualquier superficie, de inmediato prendían una llamarada temporal. A ella le correspondía alistar las granadas y cargar el tubo del mortero; el otro ayudante sostenía el bípode sobre el que se paraba la mortal arma.

Las primeras cargas del lanzallamas apuntaron a todo el frente del cuartel para iluminarlo con el fuego momentáneo que producía la granada al estrellarse contra la superficie la antigua escuela y señalarle a los zapadores, a los fusileros y a la gente de los morteros, dónde estaban los objetivos.

Yo sudaba por cantidades, metida en el frente del combate. Entre más me hervía el cuerpo, menos me acordaba de las dudas de Antonio. Por momentos deseaba que él, mi abuelo Benjamín, mi mamá Cecilia y Raquel, me vieran allí, en la línea de ataque.

Adelante, a unos veinte metros había varios muchachos, alrededor de una de las rampas. Entre ellos estaba el Ratón, como le decían al compa más bajito de toda la guerrilla, quien ya había cumplido al detalle las instrucciones del Catire y acabado con el primer anillo de seguridad de los chulos.

En medio del aguacero de plomo, sentí cuando estalló una granada que sacudió el suelo y las raíces de los árboles. Yo me toqué la cara, la cabeza, las piernas y me di cuenta que estaba bien, que no tenía nada. Pero unos metros adelante vi al Ratón retorcerse del dolor, mientras los otros compas se levantaban por los aires. El Ratón abrió la boca casi hasta reventarse, ahogando su propio grito, soltó el fusil y se llevó las dos manos al muslo derecho. El resto de la pierna parecía desprendida de su cuerpo, como si se la hubieran rajado con un hacha. Yo estaba aturdida, me arrastré junto al lanzallamas, que ya estaba con él y con otros dos compas que habían sido triturados por la explosión.

–Mercedes, hasta aquí me trajo el río –me dijo el Ratón

cuando llegué a su lado. Como pudimos lo llevamos con el otro ayudante del lanzallamas hasta detrás de un árbol.

–No, tú te vas a poner bien y te vas a beber el aguardiente con el Catire cuando termine el combate.

–Mire Mercedes, quiero que sepa que usted siempre me gustó –me dijo casi que gastando sus últimas fuerzas, y se recostó en mi canto–. Prométame que le dirá al Catire que me entierre todito –dijo y suspiró.

La cara le cayó sobre el hombro derecho y en sus ojos de pájaro se veía un último hálito de ternura, pero la boca abierta le daba un aspecto extraño. El casco vacío de la granada estaba ahí tirado, como una piedra hueca. El Ratón empezó a oler a feo, creo que se cagó al final. El humor que desprendía su cuerpo podía más que el humo de la pólvora. Sentí vergüenza porque tuve la convicción de que él, ya con el corazón detenido, intuia que yo olfateaba sus últimos olores.

–Vamos, nos toca tratar de avanzar –me dijo el otro compa mientras recogía el radio y se comunicaba con el Catire.

–Aló, comandante, una mala noticia, tumbaron a dos compas y también le dieron al Ratón, que se acaba de despachar.

–¿Está muerto el Ratón?

–Sí y otros dos compas.

–Chulos malparidos. Ya voy, aguanten que ya llego –dijo el Catire.

El Catire, acompañado de cuatro muchachos que conformaban su guardia personal, llegó hasta la palma de cumare. Se inclinó y trató de cerrarle la boca al Ratón. Se persignó, miró el trozo de pierna que parecía otro finado, no nos miró a nosotros, y con su Galill en posición de disparo alzó la vista hacia adelante, donde el fuego era intenso.

–Comandante, el pelado dijo que por favor lo enterraran todito, sin dejarle la pierna botada –le contó Mercedes.

–Qué pierna ni qué mierda, Mercedes. Cómo si eso fuera a devolvernos al Ratón, usted muévase y no abandone su puesto de combate –respondió él y marchó al frente, tras dejar a dos de sus acompañantes encargados de trasladar el cuerpo y sepultarlo–. Llévenlo completo –les dijo el Catire cuando ya se había arrastrado unos metros adelante.

La batalla seguía, las explosiones paraban unos instantes sólo para regresar con más fuerza y la humareda envolvía la noche de este lunes infernal, que ya se volvía martes. El fuego purificador, demiurgo de otros instantes, era esta vez el caldero donde se queman las ilusiones.

El Catire llegó a la primera línea, observó con sus visores nocturnos el terreno, se quedó pensando y ordenó que se suspendiera el fuego.

Del otro lado también se acallaron los disparos. La vigilia se silenció por unos minutos.

Enseguida el jefe guerrillero les mostró a los zapadores, a los que tenían los morteros de las granadas, a los de las ametralladoras M-60 y al lanzallamas, el punto exacto donde debían apuntar.

–Vamos a volarle el techo al primer refugio de lo chulos, el que tienen al lado derecho. Apunten todos ahí una descarga fuerte y verán que se viene al piso y quedan desguarnecidos.

Un paquete de granadas y proyectiles cayó sobre ese techo que pareció ceder.

–Vamos –dijo el Catire, y ordenó dos cargas más sobre el mismo blanco. Entonces se abrió un roto y el lanzallamas disparó dos granadas de fuego, que ya no se detuvieron sino que cayeron como dentro de un hueco, y uno o dos soldados salieron gritando, convertidos en una candelada.

A Mercedes le dieron ganas de vomitar, se recostó y no fue capaz de mirar más durante unos minutos. El hombre del lanzallamas se dio cuenta y, aunque no le habló, le transmitió su solidaridad. Ella no aguantó y vomitó. Se le salió hasta el alma. Cuando se recuperó de nuevo regresó a su puesto. Oyó al Catire que celebraba:

–Son nuestros –dijo y ordenó parar el fuego hasta que dos de las tres columnas, la de lado derecho y la del centro, se unieran en una sola para lanzar una andanada contra el segundo refugio, el de la mitad.

–Vamos a repetir la operación sobre el otro refugio, el del centro –le gritó a los que manejaban las rampas y los morteros–. Quemémosle duro al de la mitad, que también se le ve el volado como muy alto. Démosle con todo a esos hijueputas –insistió y él mismo apuntó hacia el techo del segundo bunker de Tierradentro, que se estremeció varias veces hasta que empezó a ceder y a desfondarse con la carga que le cayó encima.

El cruce de disparos continuaba con intensidad, tras leves intervalos en que unos y otros parecían tomar un aire antes de reiniciar con nuevos bríos la refriega. La sangre de los jóvenes guerreros bullía y no había espacio para las nostalgias. Agustín se había olvidado por completo de la abuela, de mamá Ruth, de su padre, de Alejandra, de Ester, del mundo que lo rodeaba. No era tiempo de desear a Isabel, ni de regresar al liceo, ni de pelear con Aristizábal, ni de trajinar por el barrio con el Mono Guillermo. Su verdad estaba allí, en el revuelto territorio del combate, en las fronteras aciagas de la guerra.

Yo había alcanzado tal sintonía con Belarmino y los otros lanzas, que sólo con mirarnos sabíamos a dónde debía disparar cada uno. Pero la munición empezaba a escasear, llevábamos varias horas, no sé cuántas, seis o siete por lo menos, de combate, y las cargas de los muchachos de Efraín habían destrozado el techo del bunker central y del que estaba en el lateral derecho. Sólo quedaba en pie el de nosotros, donde estábamos refugiados tres soldados y mi sargento. Las paredes del cuartel se habían venido al suelo hacía rato. Otros dos o tres compañeros, no sabíamos bien cuántos, seguían resistiendo metidos en la zanja, que habíamos cubierto de sacos de arena.

Cuando se desplomó el techo del primer bunker, el de la derecha, el sargento Tierradentro me volteó a mirar y fue como si en silencio, sin decirnos una palabra, repitiéramos la conversación que habíamos tenido días atrás:

–No tan altos los techos de los refugios, sargento, porque los vuelan; no más de treinta centímetros por encima del nivel del piso –le había insistido yo.

–Qué va, Agustín, déjelos de cuarenta centímetros para que tengamos buen panorama a la hora de la plomacera.

–De treinta no más mi sargento.

–No, de cuarenta.

Con los ojos le dije que no se sintiera culpable. A lo hecho pecho mi sargento, y seguimos disparando.

Esa gente nos tenía casi controlados. Una parte de su vanguardia avanzaba por el amplio espacio parcialmente despejado y ya nos disparaban por delante y por detrás, aunque todavía aguantaba nuestro último refugio; el techo aún resistía.

Ellos se movían más que nosotros y nos superaban en número; eran un resto. El sargento nos ordenó una doble ráfaga continua a todos, para despejar el frente y acercarse a los lanzas que permanecían en las zanjas a ver cómo estaban.

Belarmino salió con mi sargento. Quería montar él solo la

ametralladora en la zanja para cubrirlo mientras Tierradentro se acercaba a los pelados nuestros. La oscuridad desaparecía cuando caían las granadas de fuego que nos lanzaban, el espacio se encendía y en una de esas iluminadas le dieron a Belarmino, que se había enredado con el peso de la M-60.

Nos dimos cuenta porque el sargento gritó:

–No, Belarmino, no puede ser. ¡Póngase de pie! Le estoy dando una orden, ¡de pie soldado Belarmino!

Otra vez se veía oscuro y yo decidí salir del refugio a la zanja. Los otros lanzas me siguieron. Nos encontramos al sargento, a otros dos soldados y a Belarmino que tenía los ojos perdidos. Ya no se movía, ya no era de este mundo. Su mano izquierda reposaba sobre el pecho, como protegiendo el escapulario donde guardaba las fotos de sus tres hijos.

Me dio mucha rabia y disparé con toda mi energía, quería acabar con todos ellos. Disparé aquí y allá, sin soltar el dedo que apretaba el gatillo hasta que el fusil se reventó en mis manos y caí tendido en el hueco de la zanja. De allá nos lanzaban más granadas incendiarias, que cuando golpeaban contra el suelo prendían una llamarada.

En medio de la maluquera sentí satisfacción porque las granadas incendiarias estaban resultando definitivas y yo hacía equipo con el lanzallamas. Por unos segundos volví a desear que Antonio, mi abuelo Benjamín, mi mamá Cecilia y mi hermana Raquel me vieran en combate y escucharan a los compas hablándonos: alumbren compitas que ustedes son la luz, y luego observaran al lanzallamas disparando esos cocteles de fuego y yo ahí, ayudándole, hombro a hombro con él.

Pero mi confianza renqueaba cuando me daba cuenta de que varios compas habían muerto, cuando volvía a recordar al Ratón tirado con su pierna descuajada, y yo con vergüenza de percibir la tufarada que se desprendía de su cuerpo. Me parecía, en medio de esos sentimientos cruzados, volver a ver a uno o a dos chulos envueltos en llamas, saliendo del primer hueco al que le volamos el techo.

Una de las granadas incendiarias, disparada por el hombre del lanzallamas, apoyado por Mercedes, sobrevoló el cuartel y cayó, tras atravesar el cristal de la ventana que daba al patio de la casa, justo en el cuarto donde Evarista rezaba el rosario y pedía a sus dos niños que no lloraran, que estuvieran tranquilos.

En un instante Isabel, la abuela y los niños, fueron levantados del suelo por el traquido que zarandeó la vivienda y por la repentina ola de fuego que invadió la habitación.

Evarista reaccionó, se los rapó a las llamas, sin saber cómo quitó la tranca, y salió con ellos a la calle. Entre columnas de humo, paredes que crujían lastimadas y el aguacero de disparos de todos los calibres, la mujer corrió por la calle de las Bienaventuranzas. Llevaba cargados a Isabel y al pequeño. Los lamentos de Isabel y el niño, colgados de la noche, atravesaron de sur a norte a San Francisco de los Colorados, rasgando el eco de los disparos.

El niño sufrió quemaduras leves en una pierna. Isabel, en cambio, tenía la cara, el brazo derecho, los pechos y el estómago como una braza roja. Su primera piel había sido molida por el fuego y tras una atención inicial se desmayó. Los vasos sanguíneos, heridos por las llamas perdían su líquido, la presión arterial disminuía de manera sensible y la sangre circulaba con dificultades.

La enfermera le aplicó una dosis de morfina para calmarle

el dolor, le colocó un frasco de suero para evitar que su organismo deshidratado se secara del todo y le puso rebanadas de papa pelada, intentando humedecer la epidermis herida.

La piel joven y dura que Agustín acariciara en el río, debajo de un planchón, las medianoches de domingo, y los senos virginales que él chupara hasta hincharlos eran ahora una capa de escara, de color oscuro. La enfermera no disponía de los recursos suficientes, sólo tenía suero, un poco de morfina, aspirinas y un recetario de fórmulas caseras. Isabel deliraba: "Abuelo, juguemos", decía.

Tierradentro desde la zanja trataba de conseguir lo que ya era imposible, frenar la avanzada de los muchachos, y disparaba con su cadencia corta, sin perder el ritmo, sus últimos cartuchos, pero una bala se le clavó en la pierna derecha, y otra le rozó el brazo izquierdo. Aún así, el sargento siguió disparando hasta que su cuerpo perdió el equilibrio. Agustín llegó hasta donde él se encontraba.

–Vamos mi sargento –le dijo–, tenemos que buscar la salida al río.

Tierradentro sentía un calor abrasador en el muslo de la pierna herida, justo abajo de la ingle, muy cerca de la arteria femoral, cuando les dio a sus hombres la orden de abandonar los restos del cuartel. Eran apenas él, Agustín y otros cuatro soldados. Pero insistió en que él se quedaba allí.

–Voy a morir peleando, Agustín. Váyanse ya –le dijo el sargento entre susurros.

–No mi sargento, o nos vamos todos o nos quedamos todos.

–Le di una orden soldado –insistió Tierradentro y subió ligeramente el leve tono de su voz.

–Esa orden no se la puedo aceptar mi sargento –le dijo

Agustín mientras lo jalaba por entre la zanja camino a una salida que daba a una trocha que llegaba hasta El Dorado.

El cuartel era una almacabra con sus paredes derrumbadas, su humareda atosigante y sus retazos de hogueras tristes, como las que Amelia encontró años atrás a su llegada a la ciudad capital, cuando huía de la persecución contra los que se atrevieron a escuchar a La Voz.

La estatua de la Virgen de la Laguna, que presidía el patio interior del cuartel, había sido alcanzada por varios disparos. Perdió su brazo derecho y la parte superior de su cabeza era un manojo de arcilla tirado en el suelo.

Los disparos fueron dejando de oírse poco a poco. Pero en los oídos de soldados y guerrilleros, del sargento Tierradentro y del Catire, y en los de los hombres y mujeres de San Francisco de los Colorados seguían retumbando. Como si todos ellos no pudieran desprenderse del estruendo de las detonaciones.

Tierradentro perdió el conocimiento. Los soldados, agotados, apenas si empezaban a moverse cuando escucharon la voz del Catire.

–¡Ríndanse!, entreguen las armas o acaban como sus compañeros, hechos chicharra –gritó el jefe guerrillero.

Agustín vio las sombras de muchachos y fusiles expandidas adelante, atrás, a los lados, con el sabor de la victoria en sus labios: Que nadie se mueva, decían los compas.

–Está bien, perdimos –dijo Agustín y tiró el fusil del sargento. Uno de sus compañeros, herido con esquirlas de granada en los pómulos hizo lo mismo, los otros tres soldados también.

–¡Eso, hijueputa!, ganamos, les dimos a estos cabrones –gritó otro de los muchachos.

–Formen aquí, donde yo los vea –ordenó el Catire.

–Necesito agua para este soldado que está malherido –dijo Agustín, ocultando el rango del sargento para protegerlo.

–Soy sargento, soy el sargento Tierradentro –alcanzó a replicar él antes de volver a desmayarse.

–Sus refugios no le sirvieron para un coño, ¿no es cierto sargento? –preguntó el Catire, que se rió con sorna y luego movió la cara hacia la derecha en señal de aprobación. De inmediato una muchacha bajó el fusil con el que apuntaba a los militares, y entregó su cantimplora a Agustín, quien le alzó la nuca al sargento y muy despacio fue dándole sorbos que él, medio inconsciente, bebió. Enseguida Agustín alcanzó el agua a otro soldado, para que se refrescara.

–No más, era sólo para el herido –advirtió el Catire. La muchacha, de inmediato, le rapó la cantimplora de la boca al compañero de Agustín.

–Ustedes amarren a los chulos y ustedes recojan todo el armamento, saquen lo que sirva de esta mierda de cuartel, que hasta hoy funcionó. Vamos avanzando –ordenó el Catire a dos de los jefes de escuadras y su gente.

Otro grupo más, siguiendo las instrucciones del Catire, empezó a cargar a los muchachos de las guerrillas muertos para enterrarlos no se sabe dónde.

Agustín vio a la distancia unas sombras que alzaban como bultos a las muchachas y muchachos de Efraín caídos en el combate, y los tiraban unos encima de otros en dos carretillas del cuartel, que los soldados usaban para mover los materiales en los días que construían los refugios. Una de las carretillas se volteó y los cuerpos se vinieron al suelo. Cayeron como títeres desgonzados. Otra vez los recogieron y los acomodaron mejor.

Agustín no los conocía. Pero se imaginó llevándolos al

barrio Obrero, un sábado en la tarde, a una tremenda rumba en el salón comunal. Llegaban en las carretillas y al tirarlos ninguno quedaba tendido en el suelo, sino que mediante lúdicas contorsiones caían de pie. Luego todos fumaban de un largo y delgado cigarro, aspirando cada uno una sola bocanada de humo de la marihuana para iniciar enseguida un fiestón inolvidable.

Los vio bailar felices, hasta el agotamiento, antes de ir a arrumar ellos mismos sus cuerpos desgarbados, unos encima de otros, sobre las carretillas. No se dio cuenta si soñaba o era su imaginación, cuando un grito del Catire dando no sé que orden lo trajo de nuevo a la realidad.

Mientras avanzaba con una soga al cuello que lo unía al resto de sus compañeros, Agustín observó entre la oscuridad al Orejón, tirado en la zanja, con la cara amarrada con la pañoleta, mirando al vacío. Parecía una escultura hecha de carne. Vio a Belarmino, con la cabeza atravesada por una bala y su mano izquierda protegiendo el escapulario donde guardaba las fotos de sus tres hijos. Un piquete de moscas zumbaba encima de su pelo, cubierto de sangre oscura y seca.

Le pareció distinguir al fondo, entre las tiras de humo, los cuerpos calcinados de sus compañeros del refugio de la esquina derecha, con las pieles hechas cardeña y los huesos carbonizados. Recordó que de ese grupo formaban parte Rubén, el leal le decían, Bernardo, apodado el ruso, y el Radiolo. Los recordó, por un instante, en la brigada de Pueblo Grande, haciendo flexiones de pecho, trepando por la escalera de madera, descolgándose por las cuerdas, saltando desde el puente al fondo del río. Aquellos cuerpos juveniles con los que él compitió tantas veces eran ahora un haz de cenizas.

El sargento Tierradentro deliraba:

–Sí mi coronel –decía con voz lenta–, todo fue por dejarlos de cuarenta centímetros de alto. Yo tengo fiebre, jefe Preston, y ganas de una hembra. Pero una hembra rubia, una mona de ensueño. Duro, mis lanzas, duro con esos perros –decía el sargento, hablando entre los dientes, mientras un sudor frío salía de sus poros.

Agustín escuchó al Catire comunicándose por radio con los jefes de los comandos que habían participado en el combate.

–Bueno, ahora la retirada y la dispersión. Todo el mundo sabe lo que tiene que hacer –ordenó.

El joven soldado se dio cuenta de que el grupo que los llevaba a ellos marchaba selva adentro. Se dio cuenta también de que otros muchachos se dirigían al atracadero y oyó las lanchas que prendían motores.

Miró hacia el cuartel, mientras emprendían la marcha. La antigua escuela parecía un cementerio con puertas de hollín y pisos de pólvora quemada.

Avanzaron en medio de la oscuridad. Agustín sintió que le faltaba algo, que el ruido del traqueteo de las ametralladoras estaba ahí, pero ya no estaba. Que la luz de las llamas seguía prendida, pero se había apagado. Se sentía vacío, desocupado. Como si fuera una masa de aire, un lago sin agua y sin fondo, una montaña sin árboles y sin corteza, sin maleza y sin senderos.

Pensó en Isabel y rogó a Dios que ella estuviera bien, aunque le pareció ver en medio de la oscuridad que la vivienda de su noviecita campesina había sido destruida. Pero tampoco sabía con certeza si había visto la casa donde él alguna vez tomó aguadepanela con queso y escuchó la historia de la cacería del jaguar, o si era que la había soñado.

Arriba, sobre los cielos de San Francisco de los Colorados, unas horas después, una bandada de gallinazos negros, de cuellos estirados, piel cruda, picos afilados y cabeza desnuda, graznaban ansiosos, mientras volaban en círculos esperando el momento en que su olfato les dijera que ya era hora de comer.

LA VERDAD ES que no sé cómo aguantamos la marcha. Parecíamos una caravana de sombras, como si fuéramos soldados de carbón. No habíamos pegado el ojo y teníamos un hambre muy brava. Para cargar a mi sargento Tierradentro, lo metimos entre una hamaca colgada de dos palos sostenidos en los hombros. Había barro en el camino y los mosquitos acosaban. Andamos todo el tiempo en fila india, nosotros seis en el centro, cubiertos por dos grupos de muchachos que iban adelante y atrás. Para cruzar por encima de los troncos caídos, pasábamos a mi sargento como si fuera un niño de brazos, sólo que pesaba como un toro. Al mediodía me dio un sueño tenaz, creí que no daba más.

Seguí oyendo entre la maraña el traqueteo y las explosiones, aunque hacía varias horas que había terminado el combate. Sentía una vaina muy rara, como una soledad inmensa que se me metía en todo el cuerpo, como un miedo muy profundo, sin saber bien de qué. Tenía ganas de llorar, pero sabía que no era capaz de soltar una lágrima. Era como si no contara en este mundo con nadie, ni siquiera con mi abuela Amelia y mi mamá Ruth, ni tampoco con Ester y menos con Isabel.

Pensaba en Belarmino, en Radiolito, en Rubén, en Bernardo, en León, en todos los lanzas que quedaron tirados en el cuartel. Quería verlos jugando un partido de microfútbol de esos recios, donde se corre y se mete pierna, como hacíamos los primeros sábados de cada mes en la brigada. Se armaban hasta diez equipos de seis jugadores cada uno, arrancaban dos y el que recibía el primer gol salía y entraba otro. Recuerdo un sábado de diciembre, los sacamos a todos. Teníamos media de ron escondida y nos la bebimos esa noche con Radiolito. A ese pelado le faltaba menos de un mes para irse, nada más. En mayo le daban la baja y vivía haciendo las cuentas.

Pero todo se le acabó la noche del lunes: sus piques en los partidos de fútbol, las frijoladas que preparaba con una sazón única, sus achantes cuando no recibía correspondencia. Como si se estuviera mirando en un espejo y éste se desintegrara.

Como a las tres de la tarde, el Catire dio la orden de descansar un rato. Dijo que nos quitaran la soga y nos dieran tres latas de atún para los seis, de las mismas que unas horas antes eran de nosotros. Al sargento le metimos el atún en la boca a pedacitos. Pero no pasaba bocado. Seguía delirando y tenía fiebre, aunque antes de arrancar lo vendamos y dejó de sangrar un poco. Le habíamos rogado al Catire, en la madrugada, cuando íbamos de salida del pueblo, que dejáramos a mi sargento en el centro de salud de San Francisco de los Colorados.

–¿Cuál centro de salud? Que se muera ese coño de madre –fue lo que nos respondió.

Al atardecer del martes, Agustín y sus compañeros llegaron a un campamento levantado en un claro y bordeado por una quebrada. Tenía algunas empalizadas, en las que se veía varios grupos de muchachos. La mayoría de ellos venían también de participar en el combate. Todos ellos, soldados y guerrilleros, parecían los sobrevivientes de un accidentado viaje por entre los socavones de una mina exprimida hasta agotar sus yacimientos, con sus túneles desvencijados, sus rieles retorcidos y lo que fuera su fértil vientre convertido en una umbrosa caverna.

Los muchachos de Efraín, tras una corta formación de conteo se fueron en pequeños grupos, primero las mujeres, después los hombres, a bañarse y lavar sus ropas en la quebrada.

El tizne opaco, mezcla de tierra y rastros de pólvora, que se desprendía de sus cuerpos oscurecía, apenas por un instante, la corriente de agua, pero luego desaparecía entre los lazos del caudal. Los muchachos jugaban empujándose al lecho, bajándole, en algún descuido, los calzoncillos a los más recatados y lanzándose manotadas de agua, todo en medio del bullicio.

El Catire dejó su fusil a un lado y habló con otros dos comandantes que recién llegaban, a quienes saludó con un abrazo. Enseguida sostuvo varias comunicaciones por radio y luego se sentó, como quien hace cuentas, a tomar apuntes en una hoja de papel. Unos minutos después recibió llamada de Efraín por radio.

–Quiero datos exactos –le exigió Efraín.

–Sí camarada comandante, el cuartel está destruido, fueron quemados nueve chulos y otros seis retenidos, incluido el sargento; decomisamos doce fusiles, uno acabado que no sirve, dos M-60, un mortero, cien cartuchos y un radio de comunicaciones –le respondió el Catire.

–¿Y nosotros qué?

–Camarada comandante –dijo vacilando el Catire–, tuvimos seis bajas.

–Se cumplió el objetivo. Pero hay que mejorar el rendimiento, camarada. Fíjese que la relación es de dos de los nuestros por tres de ellos. Manténgase ahí y cuidadito se le va uno solo de los chulos.

–Listo, camarada comandante –dijo el Catire desmotivado con la reacción de Efraín y se dirigió a una de las empalizadas.

Una de las muchachas, morena y de largas trenzas, le alcanzó al Catire, con la certeza de quien conoce los más íntimos deseos del otro, una botella de aguardiente. Él se bebió un cuarto de botella de dos sorbos y se tiró encima de una hamaca. Ella se le acercó, le quitó las botas de caucho y le limpió el rostro con un trapo de seda mojado en un trajinado aguamanil. Enseguida soltó despacio, sin prisa alguna, los botones de la camisa del Catire y le besó lentamente el pecho.

Agustín y sus compañeros fueron llevados a una especie de corral descubierto, armado con ocho palos, dos en cada lado, sostenidos en las esquinas por cuatro bauzas recortadas y clavadas en la tierra.

–De ahí no se mueven hasta que el camarada Catire dé una orden distinta. Al que se mueva lo llenamos de plomo –les advirtió uno de los seis muchachos apostados como vigías a escasos metros; él y sus compañeros portaban ametralladoras AK47 y granadas al cinto. Luego le alcanzó a Agustín una olla pequeña, repleta de lentejas y arroz, y le tiró una cocacola en envase plástico de dos litros que se golpeó contra el suelo.

–Esa es la comida y quedamos listos por esta noche, mañana los llevamos a que se bañen –les dijo.

Los soldados acomodaron al sargento Tierradentro sobre la hamaca que tendieron en el piso, le revisaron las improvisadas vendas y le dieron un poco de coca-cola. El sargento estaba pálido, había perdido demasiada sangre y mantenía su extravío.

–De todas maneras, yo nunca la voy a olvidar a usted –decía Tierradentro.

La tierra estaba húmeda y soplaba un viento manso. Los

grillos, con sus alas manchadas de amarillo, y las chicharras, de barrigas cónicas y antenas diminutas, rociaban el silencio con su monótono recital. Los cinco soldados se sentaron alrededor de la marmita y comieron las lentejas y el arroz, que fueron recibidos como una bendición por sus estómagos vacíos. Bebieron la coca-cola, hasta secar la botella.

Muy cerca del lugar asignado a los soldados había una laguna sembrada de lirios de agua real, que en esa hora crepuscular desplegaban su belleza. Sus enormes hojas verdes y circulares, de casi dos metros de diámetro, flotaban serenas sobre la charca. Sus flores blancas abrían sus pétalos en actitud de entrega y exhalaban un aroma frutal que seducía a los escarabajos, llegados en bandada a pasar la noche en su tibio regazo, penetrándolas para alimentarse de su polen sin hacerles daño alguno.

–En la casa se van a angustiar cuando oigan las noticias. Pensarán que estoy muerto o quién sabe qué. ¿No será que vienen de la brigada a intentar rescatarnos? –preguntó Agustín.

–Qué nos van a venir a buscar aquí en este rastrojo –dijo Ricardo, un soldado nacido en Pueblo Grande, que rara vez hablaba, por lo que lo apodaban el mudo, y siempre hacía sus tareas militares con diligencia. Cuando su novia lo visitaba en la brigada, caminaban la tarde entera por el patio sembrado de orquídeas, de arriba abajo y de abajo a arriba, sin chistar una palabra–. Si no nos enviaron refuerzos, menos nos van a venir a rescatar –remató.

Otros de los soldados intervinieron en la conversación, pero Agustín no los escuchó; se había sumergido en el pozo de sus propias cavilaciones. Aunque yo lamento que estén muertos, aunque me dé tristeza de todos, doy gracias por estar vivo y coleando, porque mientras esté vivo tengo alguna posibilidad de volver a ver a Ester, a la abuela, a mamá Ruth, a Isabel, a mi padre, a Alejandra. Es muy tenaz pensarlo, pero la verdad es que cuando yo digo menos mal que a mí no me tocó, es casi lo mismo que decir menos mal que le tocó a ellos. Yo recuerdo con tristeza a todos los lanzas que se fueron, compañeros de muchos días y muchas noches, pero lo cierto es que siento la satisfacción de estar vivo, de no haber corrido la misma suerte de ellos. Quisiera decírselo a alguien, destaparme, pero no soy capaz. Tal vez si estuviera Belarmino, con quien casi todo lo hablábamos. Qué mala suerte la del Zambo, sus tres hijos quedaron huérfanos. Claro que si el tiempo se devolviera y alguien me asegurara que si yo moría en el combate Belarmino se salvaría, estoy seguro de que diría que no acepto esos trueques, que no soy un negociante. Creo que a la hora de la hora un canje así no lo haría ni por Ester, ni por mi abuela, ni por mi mamá, ni por nadie. Tal vez por un hijo, si yo fuera padre, pero habría que ver si de verdad tendría el valor de decir yo, Agustín Zipagauta, me muero a cambio de que mi hijo viva. En el fondo lo que soy es un egoísta de marca mayor, el rey de los egoístas.

–Hermano, Agustín –dijo el mudo Ricardo–, despierte que usted se está durmiendo y tenemos que hacer algo, si no mi sargento se nos va a morir.

Tierradentro se veía desvaído y seguía delirando, ajeno a la realidad que lo rodeaba.

–Sí, de una, vamos a chuzar al Catire –respondió Agustín, quien reaccionó de inmediato y se puso de pie.

–Oiga amigo, hágame un favor, lléveme a donde el Catire ¿sí? Mi sargento está muy mal –dijo Agustín dirigiéndose al grupo de muchachos que los vigilaban.

–Qué amigo ni qué hijueputa –le respondió el mismo muchacho de testera despejada que les había alcanzado la comida y a quien sus compañeros llamaban Frentonces.

–¿Entonces cómo se llama usted? ¿O cómo hay que decirle?

–Yo me llamo Santiago y no más preguntas güevonas. ¿O ya se le olvidó lo que le dijo el jefe? Aquí nosotros somos los únicos que hacemos preguntas.

Frentonces se marchó y regresó a los pocos minutos.

–Mire chulito, al camarada Catire no se le puede interrumpir ahora. El otro camarada jefe ordena que se duerman, que el sargentico aguanta hasta mañana porque yerba mala nunca muere –aseveró Frentonces, dueño de la situación.

La larga vigilia concluyó y Agustín y sus compañeros durmieron al aire libre, recostados sobre la tierra.

Agustín soñó con Ester. Ella caminaba al anochecer por la zanja del cuartel. Vestía una minifalda de gamuza, una delgada blusa negra y calzaba sandalias. La vio bailando entre la cuneta con Radiolo, con Rubén el leal, con Bernardo, con el sargento Tierradentro, con el Catire, que también andaba por allí. Bailaba con todos, menos con Agustín, como si quisiera negar su existencia. Ester, Ester, soy yo, soy Agustín, le gritaba él. Después ella aparecía en bragas a orillas del río El Dorado, en un mediodía radiante. Aunque él estaba ahí, a la vista de todos, Ester tampoco se daba por enterada. Flirteaba, cautiva de la vanidad, con los muchachos de Efraín, como si Agustín no fuera siquiera una sombra capaz de inquietarla.

De pronto el sueño dio un giro y se vio con otra muchacha, le parecía que era Isabel. Estaban acostados en su camarote, en la brigada. Agustín la amaba evitando los ruidos para no ir a despertar a sus compañeros. Sentía que se iba a reventar de placer, que estaba a punto de estallar, pero no lograba eyacular, cuando despertó sudando. Por unos segundos no tuvo idea de dónde se encontraba. Cuando cayó en cuenta, se levantó, fue a una de las esquinas y orinó un chorro largo y fuerte, mientras veía a uno de los muchachos con el fusil alzado, pendiente de sus movimientos. Con su permiso orino, pensó Agustín.

De regresó a su cama de tierra, el corazón de Agustín se iluminó al recordar la carta de mamá Ruth que no había leído. Palpó, con momentánea angustia, el bolsillo de su camisa, creyendo que la había perdido. Pero no. Ahí estaba la carta, sin destapar todavía. Se regodeó antes de abrirla. Su afortunada decisión de no leerla hasta que no se resolviera lo del ataque, hasta que no transcurriera ese lunes y se evaporaran todas sus horas, sus minutos y sus segundos, pensó Agustín, lo había salvado. Ya no se sintió culpable por sus deliberaciones sobre la imposible permuta de su vida por otra vida, por la del Zambo Belarmino o por la del buena gente de Radiolo o, aún, por la de Ester, o la abuela, o mamá Ruth.

Celebró su decisión de esperar, de no haberse precipitado a mirar la carta. Sentía ahora esa misma sensación que experimentó a las once años de edad cuando iba a los ensayos del teatro La Barraca, dirigido por el padre Carlos.

Fue un sábado en la tarde.

Todos los pequeños están en el salón parroquial y el padre Carlos elabora la lista del orden de participación de los virtuales actores. Agustín, aconsejado por la abuela Amelia, no se apresura a alzar la mano, aguarda y es el último en recitar lo que recuerda de *El coronel no tiene quien le escriba*. Todos los que queremos ser actores infantiles tenemos que leer la obra, porque ese día el padre Carlos, después de oírnos uno por uno, va a repartir los papeles. Estoy contento de ser el último porque así puedo observar los errores de los otros para tratar de no repetirlos. Qué alegría cuando escucho al padre

Carlos diciéndome: Agustín, panzoncito, tu harás el papel del coronel. ¿Y vamos a traer un gallo y todo?, le pregunto yo. Claro que sí, con gallo y todo, responde el curita. ¿Ve lo bueno que es saber esperar? me dice mi abuela cuando regreso con la noticia.

Agustín sacó el sobre de su bolsillo, lo abrió, estiró las tres hojas de cuaderno y leyó la carta de mamá Ruth:

La Capital, enero dos.

Querido hijo, primero que todo lo saludo con mucho cariño. Le cuento que celebramos el Año Nuevo en familia. La abuela preparó envueltos de maíz y un barril de chicha para que alcanzara hasta el día de Reyes y para ofrecerle a los vecinos. Alejandra trajo vino de manzana y galletas que le dieron en la empresa, y con su papá preparamos dos pollos. Todos lo extrañamos mucho a mijito, volvimos a leer su última carta y yo les recordé lo que hablamos en la visita que le hice en la víspera de la Nochebuena. Les conté otra vez que sumercé estaba muy bien y cuando brindamos todos los hicimos por usted, por que la Virgen de la Laguna lo siga protegiendo y por que cuando se vaya a la comisión esa en el cuartel de San Francisco de los Colorados, todo le salga bien, y regrese a finales de abril a la brigada de Pueblo Grande a ver si lo podemos volver a visitar. La abuela dijo que tenía que morirse antes para no ir a verlo en mayo, apenas baje un poco la lluvia.

Hay una cosa que a lo mejor le va a dar tristeza y sorpresa también. Se la quiero contar primero para salir de las malas noticias. Yo hasta me dije, Ruth no le cuentes, no le digas nada a tu hijo, pero su hermana Alejandra me aconsejó que lo hiciera, porque de pronto alguno de sus amigos le escribía y usted se enteraba de lo que pasó y se iba a poner bravo conmigo por no haberle contado primero.

No me lo va a creer. Cuando a mí me lo contaron yo dije, eso no puede ser cierto, es imposible. Pero así fue, tal y como se lo voy a contar, lo sabe ya todo el barrio y en el liceo no han hablado de otra cosa en los últimos días. Es más, cuando lo visité la última vez el chisme ya había empezado a correr por ahí, pero yo no quise abrir la boca, hasta no estar segura

Mejor le cuento de una vez y no doy más vueltas. ¿Sabe qué pasó Agustín?, pues que Ester, la gran Ester, se voló con el profesor Aristizábal. Así es, tal y como se lo cuento: el profesor Aristizábal y Ester se han volado juntos, dicen que se fueron para las europas, donde Aristizábal va hacer un curso especial en la universidad y ella va entrar a hacer su carrera. Esto de la universidad quién sabe si sea cierto, porque como la gente inventa tantos cuentos. Pero eso sí, que se volaron se volaron, todos en el barrio lo saben y varios profesores lo confirmaron.

¿Sabe quién me lo contó a mi?, la propia mamá de Ester. Un día, cuando se iba a trastear del barrio porque no soportaba tanta chismografía y tanta vaina, me dijo llorando que era verdad, que Ester se lo había confesado cuando ella la encontró alistando la ropa. Es que lo amo mamá, ¿y usted misma no dice que el amor es ciego?, le dijo Ester a la señora.

Ahora no es que se me vaya a amargar ni a pasarla mal, ni nada. Es para que se dé cuenta cómo son algunas mujeres de tremendas, por eso fue que ella no se dignó venir a averiguar qué era de su vida en el Ejército. Sabe Dios si desde cuando mijo estaba en el liceo, no andaban ya con esas. Pero prométame que no se va a poner triste ni se va a poner a sufrir. Perdóneme si le amargo el rato contándole, pero creo que era mi deber.

Bueno mijito, paso a contarle otras cosas...

Agustín quedó perplejo. Acostado sobre la tierra negra, con el estrépito de la guerra todavía zumbándole en los oídos, prisionero de un destino incierto, una increíble noticia venía a confundirlo. No puede ser cierto, pensó, al tiempo que empezó a recordar situaciones, detalles y gestos que lo llevaran a darle más crédito a la historia que su mamá le contaba en una carta guardada con celo, cuidada con esperanza, como un buen augurio que ahora perdía su gracia.

Su inquieta imaginación viajó a hurgar en los recuerdos. Quería interpretarlos allá mismo, en el escenario, en el liceo.

Joven Agustín, usted es un zángano y un cretino que no sirve sino para el baile y para el fútbol. Se me sale ya de la clase, me dice Aristizábal y luego lo escucho dándole explicaciones a Ester: Perdone señorita Ester, pero es que este muchacho es un auténtico zángano. Qué extraño, ella no se queja de él en ningún momento y él tampoco se la monta con sus regaños de piedra, es a la única que no.

Son las dos de la tarde. Ester está en la solitaria biblioteca del tercer piso, le insisto que nos vayamos y ella me dice que no puede, que debe consultar *Las mil y una noches* para ayudarle con una tarea a su hermana menor. Que arranque yo y después nos vemos en la calle Catorce. Cuando bajo las escaleras me cruzo con Aristizábal que sube. ¿Para dónde va en realidad? ¿Para el salón de profesores o a verse con Ester en algún rincón de la biblioteca?

Yo hablo de él en uno de los descansos y a Ester se le sale y se refiere al profe Aristizábal. Es la única del combo que lo trata de profe, de la misma forma en que lo llaman todos los sapos del liceo. Profe se le dice a un maestro buena gente, Ester, le reclamo yo, ¿por qué le dices así? No me contesta y evita por unos días volver a decirle profe, pero vuelve y se le sale, no que el profe Aristizábal dijo esto y lo otro.

De pronto, ya con sus obsesiones de vuelta a la realidad, Agustín se dio cuenta de que reía. Era tan extraordinaria la historia que acababa de leer en la carta de mamá Ruth, que le produjo esa repentina y salvadora hilaridad. Los ve entonces, a Aristizábal y Ester, llegando de la mano al salón comunal, un sábado por la tarde, cuando la rumba arde. No puede ser, qué cuento ese, se dijo Agustín y soltó una incontrolable carcajada.

–Deje dormir hermano –le reclamó el mudo Ricardo–, mañana tenemos que resolver lo de mi sargento.

Qué extraña sensación la de Agustín. Tenía rabia, tufo de trampeado, pero a la vez se reía. Volvió a leer la carta, saltando líneas hasta que llegó a la nuez del texto. Comprendió que mamá Ruth no inventaría una cosa de esas. Terminó de leerla sin ganas, como quien cumple un compromiso de aquellos que al momento de adquirirlos suenan muy gratos y a la hora de realizarlos han perdido su encanto.

> ...Bueno mijito, paso a contarle otras cosas. El día de Nochebuena acompañé a la mamá del Mono Guillermo a llevarle un tamal especial que ella le preparó y una muda de ropa nueva. ¿Sabe dónde estaba?, allá en la Calle de las Miserias, recuerda, ahí donde duermen los que recogen cartón, en una de esas casas quebradas de puertas de madera rotas y olor, perdone que se lo diga así de crudo, a caca y a miados. Ahí estaba, sentado en el piso, con un perro callejero, y cerca a otros tipos mucho más abandonados que él. La mamá se puso muy triste porque dijo que ya no la reconocía, que seguro no se había dado cuenta de que era ella y por eso no

se alejaba. Pero cuando llegamos él la reconoció y se quedó tranquilo, esta vez no se distanció. Qué hubo mamita, fresca que aquí está en mis territorios, le dijo, y tranquila que hoy es nochebuena. El Mono Guillermo probó un pedazo de tamal y el resto se lo dio a sus compañeros. De la ropa nueva que ella le llevó sacó una camisa y se la vistió al perro que lo acompañaba, que estrene él en esta Navidad, dijo mientras el animal saltaba incómodo, tratando de salirse de entre la camisa. Yo lo saludé de parte suya, que muchos saludos de Agustín, ¿se acuerda Guillermo?, su amigo, el que jugaba fútbol con usted. Mi parcerito Agustín, dijo, claro que me acuerdo, y los ojos le rieron. Yo le dije que sumercé estaba en el Ejército y él me hizo una especie de saludo militar.

Nos fuimos rápido porque eso se veía feo por ahí, hombres y mujeres dejados del todo, como que duda uno de la existencia de mi Dios viendo a esa pobre gente. Me llevé a la mamá del Mono a la vuelta, tres cuadras adelante, al Palacio de Versalles, a que viera todo ese lujo. Pero resulta que me quedé mirando bien esas paredes y se veían derruidas, como que estuvieran a punto de venirse al suelo; observé los portones de metal y los noté oxidados, todo tenía un aire de abandono, peor que en la calle de Las Miserias, aunque de entrada parecía que no, que todo estaba muy bien. Enseguida vimos a los soldados del Batallón de la Guardia desfilando. Me sentí en ese momento muy orgullosa de saber que mi hijo es un soldado como ellos, y en cambio, el pobre Guillermo en la situación en que está. Hasta pensé, ¿si ves Ruth?, no hay mal que por bien no venga, fíjate que Agustín está en una situación muy distinta, mucho mejor. Le dije a la viejita, mire, así desfila mi hijo en la brigada en Pueblo Grande y saqué las fotos suyas con el uniforme y se las mostré. Ella ya estaba como más tranquila. Menos mal que su Agustín sí se le salvó, el Mono lo quería mucho, como si fuera su hermano menor, me dijo, y me contó cuando mijito iba a desayunar a la casa de ellos. Desde la noche anterior el Mono decía, dejen harto calentado que mañana viene Agustín a desayunar.

Mire, mijito, le van a continuación dos muy buenas noticias, para que vea que no todo es malo. Su hermana Alejandra, que lo recuerda mucho y le manda la tarjetica que va con esta carta, está muy cerca de un ascenso en la galletería de los Urueña. Eso sí le ha tocado muy duro, todas las noches estudiando computadores hasta muy tarde, porque la van a nombrar facturadora. A muchas de las amigas de Alejandra, pobres muchachas, las han despedido por que los computadores hacen las tareas de varias personas. Pero fíjese mijo que a ella, en cambio, le llegó la época buena. Alégrese porque el progreso de ella es progreso para todos nosotros.

La otra muy buena noticia es que a su papá la pensión le va a salir más o menos cuando mijo regrese y ya le dijeron en la constructora que cuando él se retire, a mijito, como ya viene con su tarjeta militar, le dan su contrato fijo. Los hijos de los trabajadores de los Urueña, cuando sus padres se retiran, tienen prelación para ocupar las vacantes. Su papá está muy feliz porque dice que de esa manera otro Agustín Zipagauta va a seguir trabajando por muchos años en la constructora de los Urueña. Usted sabe que él siempre ha querido un futuro para usted.

Bueno mijo, no le quito más tiempo, que la Virgen de la Laguna me lo siga protegiendo día y noche, su mamá que lo adora y reza por usted todas las noches. No le haga caso a las malas noticias, acuérdese que no hay mal que por bien no venga. Muchos saludos de su papá, de su hermana que lo quiere mucho aunque usted no lo crea, y de la abuela

Amelia, que ella no le escribe porque en mayo lo va a visitar sea como sea.

Su mamá, Ruth.

Posdata: no se le olvide, Agustín, silencio para que no sepan tanto de usted, equilibrio para que no se caiga si lo empujan y ritmo para no cansarse antes de tiempo.

VIRGENCITA LINDA, prométame que le va a devolver la alegría a Isabelita. La niña se tiene que mejorar, usted sabe que ella es un regalo que mi Dios nos hizo. Así sea sólo para verla corriendo detrás de un soldado. Ya se llevó a mi Ramón, ¿no le parece que con él es más que suficiente? No puede ser que yo tenga que sufrir más desgracias, eso no es justo con esta pobre mujer, le dijo Evarista, de rodillas, a la imagen de Nuestra Señora de la Laguna, quien desplegaba su mirada protectora y una caricia angelical sobre el Cristo coronado de espinas que descansaba vencido en su regazo.

Evarista se persignó una vez más ante el altar mayor, construido sobre una hilera de baldaquines. Se puso de pie y caminó por una de las alas de la catedral de Pueblo Grande, habitada esa temprana mañana del jueves sólo por ella y la galería de santos y mártires que ocupaban los bajos de las dos naves. Al llegar a la puerta, hecha de hierro macizo con dos cruces de bronce incrustadas a sus lados, se detuvo, se hincó de rodillas para santiguarse, a manera de despedida, y salió.

Afuera los transeúntes iban y venían, indiferentes al pleito que mantenía un viejo con una yegua negra de crin blanca que se negaba a seguir arrastrando la carreta cargada de bultos de yuca. Estaban detenidos, justo frente al salón de los Hijos de Cristo y la bestia no daba un paso adelante.

–Movéte mujer esquiva, no seas así conmigo –le decía el hombre, que llevaba un sombrero blanco de ala ancha y copa baja, rodeado de un cordón que remataba en borlas–. No me obligués a darte rejo –le repetía a la yegua que no se daba por enterada de sus amenazadores ruegos.

Evarista se acercó, pasó una mano por la crin albina de la bestia varias veces, hasta que ésta reaccionó y se puso en marcha.

–Gracias mi señora, usted hace milagros. A esta yegua cuando le da por frenarse, se lo cuento aquí entre nosotros, no la hace andar ni un caballo cerrero –le dijo el hombre, feliz de ver la carreta en movimiento.

Evarista caminó hasta la plaza de mercado, entró y buscó uno de los comederos, célebres en todo el oriente del país por la deliciosa sazón del caldo de papas, el chocolate humeante, la gallina cocida, las tajadas de plátano, el hígado asado y el pescado frito.

En su ruta se cruzó con varios hombres que llevaban bultos de comida sobre sus hombros y gritaban: ¡Ahí voy!, ¡ahí voy! Escuchó también a las vendedoras de rostros carrillos llamándola: Venga mi marchanta. ¿Qué va a llevar? Venga mi marchantica. Sus sentidos se despertaron, movidos por los aromas y colores de las auyamas ciclópeas, las papas rozagantes, las zanahorias cantarinas y las naranjas reventadas. Olía en la plaza a trucha y salmón. Los gallos revoloteaban inquietos en sus corrales atiborrados de gallinas que ponían huevos de dos yemas.

Un caldo de papa y un chocolate, acompañado de dos arepas de maíz, calmaron el hambre de Evarista. En el restaurante, amoblado con asientos y mesas de madera protegidas con manteles plásticos estampados de flores rojas, y una gran estufa alimentada de carbón, un creciente murmullo que entrelazaba voces y ecos hablaba del ataque de los muchachos de Efraín a San Francisco de los Colorados. Ése era el tema que convocaba a los habitantes de Pueblo Grande, enterados todos ya de los pormenores del asalto, de los heridos que habían llegado al hospital y del puente aéreo organizado desde la brigada para mover tropas y funcionarios del gobierno hasta el sitio del combate y traerlos de regreso, junto a los soldados muertos.

Si yo supiera –pensó Evarista– dónde están los sinvergüenzas de las guerrillas para reclamarles por lo que hicieron, para gritarles que acabaron con mi casa, con mis ilusiones, con mi Isabelita. Para decirles que ya no tengo capacidad de perdón ni de olvido. ¿Por qué me hacen esto? ¿Qué les he hecho yo? ¿Ahora qué va a ser de mi vida? Mi niña quemada, mi rancho incendiado y yo viuda y jodida.

Ni sé cómo hice cuando las llamas prendieron el cuarto, pero en todo caso les arranqué a Isabel y a mi niño y corrí al centro de salud, en medio de ese infierno de casas incendiadas y el estruendo de disparos. Mi Isabel se quemó muy feo, antes aguantó tanta espera para traerla al hospital de Pueblo Grande. ¿Por qué Virgencita no la salva, sí? Mire que esa niña es hija de un milagro.

Por esos días mi Ramón anda muy triste porque pasa y pasa el tiempo y nada que yo quedo embarazada. Hasta que un miércoles, él se va de pesca con el compadre Olinto y se topa con la niña. Ella no tiene más de dos años y está tirada entre una barca vieja a la orilla del río, llorando porque no encuentra cómo salir de allí.

Es un regalo que nos hace mi Dios, dice Ramón cuando llega a la casa corriendo, con ella cargada en los brazos, saltando y gritando como un niño. ¡Ya tenemos la hija que queríamos!, me la encontré a la orilla del río. Y de verdad que Isabelita es la mensajera de la buena suerte porque después yo quedé embarazada dos veces.

Ramón alza a la niña, la baña, se la lleva con él a todas

partes, tanto la consiente que hasta celos me dan a mí. Pero eso sí, yo soy la que le descubre el nombre cuando empiezo a decirle Evaristica, y ella no presta atención. Vuelvo y la llamo y no me responde, hasta que me da por decirle Isabelita y ahí sí voltea a mirar, y vuelvo y la llamo, Isabelita, y ella vuelve a mirar de inmediato.

Isabel es nuestra hija y aunque yo no la engendré la quiero tanto como si lo hubiera hecho, porque ella en verdad le devolvió la alegría a mi Ramón; a él se le fueron las tristezas desde que la niña apareció.

Ahora le tocó Virgencita, hacernos el segundo milagro, salvándola. Para eso fue que la cargué hasta el centro de salud y para eso la trajeron hasta el hospital.

–Aplíquele más morfina, vea si consigue más suero y confiemos en que sobreviva a la deshidratación y al avance de la infección; no vaya a dejar que las moscas se le acerquen, manténgala protegida con un buen toldillo –le dijo el médico de Pueblo Grande a la enfermera de San Francisco.

Apenas colgó el médico, se escuchó por fin el primer reporte en la radio sobre el ataque. Evarista y la enfermera prestaron atención a la noticia: ¡Extra!, ¡extra!, 10: 30 de la noche. Un cruento asalto de los muchachos de Efraín al cuartel militar de San Francisco de los Colorados, realizado entre la noche de ayer y la madrugada de hoy, deja un saldo de varios militares muertos y otros heridos. El cuartel fue hecho trizas, según dijo a este informativo radial una fuente de entero crédito de esa organización alzada en armas.

En el centro de salud, mientras crecía el bombardeo de boletines de última hora, Isabel, con el brazo izquierdo marcado por los picotazos de las agujas buceaba por un reino insolado. Soñó que su cuerpo era un espíritu incandescente que reposaba sobre un colchón de algodones que hervían, en un cuarto iluminado por una luz de verano. De pronto vio a Agustín, cubierto por un halo rojo que llegaba a su lado y se fundía con ella en un ardiente beso.

El miércoles por la mañana el cielo se despejó y el alto mando aterrizó cerca de las ruinas del cuartel, a bordo de varios helicópteros. Aviones bombarderos sobrevolaban la zona mientras que dos brigadas militares que se movilizaban en una flotilla de lanchas, tras soportar más de un hostigamiento en su recorrido por las aguas de El Dorado, atracaron en el apostadero del pueblo.

De inmediato, bajo las órdenes de un coronel, varios soldados tendieron una delgada cerca de papel amarillo sobre el sitio donde antes existía el cuartel, retirando a los habitantes de San Francisco de los Colorados que habían permanecido allí espantando a los gallinazos. Enseguida empezaron a recoger aquellos cuerpos sin movimiento, a unos en camillas y a otros en bolsas plásticas de color negro.

Los soldados, agobiados por la liviana fetidez de los que fueron y ya no eran, se taparon las narices con pañuelos mojados en alcohol, para poder continuar su tarea. Las camillas y las bolsas, rociadas con agua bendita por el viejo capellán de la brigada que rezaba unos responsos, eran montadas en los helicópteros.

La maestra Julia, a la distancia, con el peso de las nostalgias encima, refundida entre el amasijo de campesinos que observaba lo que ocurría al otro lado de la cerca de papel, lamentaba su decisión de abandonar la escuela durante la época de la fumigación. Sólo los ojos de Julia, ningunos más, veían el viejo tablero verde donde ella educó a varias generaciones de sanfrancisqueños colorados. La tabla, desteñida y en desuso, había recibido balazos de todos los calibres y ahora parecía un colador repleto de agujeros.

Poco después llegó hasta el cuartel de San Francisco de los Colorados, en otro helicóptero, Roberto Bordado, el ministro de la Gobernación, el Orden Público y el Registro Electoral. Vestía un pantalón de paño gris, zapatos mocasín y una camisa azul celeste de rayas blancas, arremangada a la altura del antebrazo. Tenía el sueño pendiente atravesado en las ojeras, pues venía de participar la noche anterior en la ceremonia de grado de una nueva promoción de juristas en el Colegio Nacional de Abogados, en la ciudad capital, del que era un reconocido ex alumno.

–Déjenme ver una bolsa de esas –le dijo Bordado a unos soldados, mientras caminaba por entre los escombros del cuartel.

Miró al fondo y se encontró con dos ojos que parecían hablar entre ellos, contándose sus cuitas y sus desventuras, sin que la cara, de la que formaban parte, se diera por enterada de esa conversación. El ministro apartó la vista un momento, pero guiado por un súbito impulso, volvió a mirar al interior del paquete de plástico y de nuevo le pareció ver, oír tal vez, a los dos ojos, como si fueran un par de bocas, que hablaban sin cesar. Sintió mareo, luego náuseas y creyó que se iba al suelo. Pero reaccionó de inmediato y se dio cuenta de que nadie había percibido su mal momento. Pidió que le alcanzaran una coca-cola dietética, se bebió dos sorbos, recobró la compostura y, apersonado de su papel de representante del Estado, condenó la acción de los muchachos de Efraín en sus declaraciones radiales.

Luego recorrió el pueblo, saludando a los vecinos, escuchando sus quejas, mientras recordaba el agitado martes que había tenido en la ciudad capital.

La entrega de diplomas en el auditorio La Justicia se había prolongado debido al extenso número de graduandos. Bordado decidió dar la cara en el acto para neutralizar a sus contradictores políticos, que lo acusaban de andar asustado luego del escándalo desatado a través de los medios de comunicación, que lo tocaba a él.

Bordado, horas antes de que el país conociera la noticia del ataque a San Francisco de los Colorados, concedió una entrevista por la radio, cuando ya se dirigía al acto académico, de la que no había salido bien librado.

–Ministro buenas tardes –le dijo el periodista–. Vamos al grano y gracias por atendernos. A usted lo acusan de favorecer desde su cargo la construcción de la represa del sur. ¿Eso es cierto?

–Si impulsar el desarrollo de un proyecto fundamental para todos los pueblos del sur, es favorecer a alguien, estoy totalmente de acuerdo con esa acusación.

–Ministro, la represa se va a construir en los terrenos que su primo le acaba de vender al Estado por una cifra millonaria, escandalosa, dicen sus críticos.

–Mi primo es un ciudadano como cualquier otro y el Estado le compra a los ciudadanos los terrenos que necesita para desarrollar las grandes obras de beneficio colectivo.

–Sí Ministro, sólo que esos mismos terrenos le fueron adjudicados a su primo sin costo alguno, en la última reforma agraria que usted mismo promovió.

–Mire, escándalos de esos existen desde cuando se fundó la República. Voy a promover todas las investigaciones necesarias, ustedes saben que la trasparencia rodea todos mis actos.

–¿Acepta entonces que hay algo turbio en este negocio, como dicen sus adversarios políticos?

–Hombre, aquí lo único que hay es una conspiración de mis opositores, nada más. A ellos me toca recordarles lo que decía el Quijote: Ladran Sancho, luego cabalgamos.

Unos minutos después, un oyente llamó a la cadena radial y aseguró que esa era una cita mentirosa, que no aparecía en la obra de don Miguel de Cervantes. En los mentideros políticos no se sabía quién tenía la razón, si Bordado o el radioescucha. La duda estaba sembrada.

El alto funcionario escondió su preocupación y saludó muy efusivo a buena parte de los asistentes al acto universitario. Ya sabía que se trataba sólo de aguantar el primer chaparrón informativo, como él lo llamaba, consciente de que no había escándalo de corrupción y, mucho menos, debate literario, que estuvieran al aire por más de un día. Cualquier noticia en ese lapso de tiempo era sepultada por otra, y ésta a la vez por otra y otra, en ese despiadado juego de la ruleta informativa regido por el demonio de la actualidad.

Fiel a ese precepto, Bordado no se sorprendió, aunque sí experimentó un resucitador alivio que trató de ocultarse a sí mismo cuando uno de sus escoltas le avisó, al oído, lo que decía la radio sobre el ataque a San Francisco de los Colorados. Se lo contó justo cuando se dirigían del auditorio de La Justicia al salón de La Razón donde se realizaría el coctel para celebrar la masiva graduación de abogados. Roberto Bordado tuvo una punzante y momentánea sensación de culpa, al pensar que la noticia del violento combate y de la muerte de unos soldados y unos guerrilleros se convertía en su salvavidas. Pero yo no soy responsable del ataque, ni de su trágico saldo, se dijo. Bebió un trago de whisky intentando alejar ese incómodo fantasma y se dedicó a saludar a cuanto graduando se le cruzaba en el camino, tomándose fotos con ellos y sus parientes, que exhibían orgullosos el diploma.

–¿Yo qué seminario te dicté? –les preguntaba mientras se cuadraban para la foto.

–De la hermenéutica en las 32 revoluciones jurídicas de la Nación, doctor Bordado –le respondía uno.

–Aportes históricos de los doctores Fernando Pedroza y Pedro Fernández al estatuto orgánico de la Nación, señor Ministro –le decía otro.

Las respuestas de sus ex alumnos le devolvieron a Bordado, siempre orgulloso de su saber, esa genuina seguridad en sí mismo que veneraban sus seguidores y asustaba a sus contradictores, acostumbrados a calificarlo de hombre atrevido en su quehacer político. Al realizar el brindis, Bordado reprimió su hábito de citar a escritores clásicos, justo cuando ya se le colaba una referencia a Balzac. En tono solemne invitó, con la copa de champaña en alto, a la nutrida concurrencia:

–Brindemos –dijo Bordado–, por la histórica tradición de respeto al Estado de Derecho, la Ley y la Constitución siempre honrada por todos nosotros, los egresados del Colegio Nacional de Abogados. Brindemos también por la memoria de nuestros protectores, guías y faros de nuestro colegio, don Pedro Fernández y don Fernando Pedroza. Larga vida a ellos y a su descendencia.

Ya en San Francisco de los Colorados, el ministro caminó la mañana del miércoles por entre los escombros y ayudó, en un acto que fue grabado por las cámaras de televisión, al grupo de soldados que llevó a Isabel en andas, desde el hospital hasta el improvisado helipuerto. Apenas si se vio en las imágenes una sábana de color azul, con un frasco de suero colgado a su lado, que se movía por entre los aires sostenida sobre las yemas de los dedos de los soldados y del ministro Bordado, que alineados en dos estrictas filas la cargaban hasta dejarla en una de las aeronaves.

Evarista, un día después, estaba de regreso de la plaza de mercado al hospital de Pueblo Grande, envuelta en sus agitados recuerdos de las tres últimas jornadas. Allí se sentó de nuevo en el banco de cemento, frente a la puerta de ingreso a la sala de cuidados intensivos, donde Isabel seguía caminando, como lo había hecho durante las últimas horas, sobre un delgado hilo.

Quería huir del temor que sentía al pensar que la tragedia de Isabel tuviera un final infeliz. Evitaba pensar en esa palabra fatal, símbolo y expresión de ruptura definitiva. Está bien que sea yo, Virgencita, que ya anduve bastante por estas tierras, pero no ella que apenas es una muchachita. Sálveme a la niña y le prometo ir a visitarla, cruzando las cordilleras, al mismísimo altar de la Laguna para rezarle allí, de rodillas, mil padrenuestros y mil avemarías.

AGUSTÍN DESPERTÓ en la madrugada, cansado, tras unas horas de mal sueño, navegando por un mar de ideas y sensaciones que se entrecruzaban agitadas, confusas, como un aluvión que lo zarandeaba de un lado a otro. Los ruidos de la guerra habían reaparecido, las explosiones se dejaban oír en su cerebro, recordándole que era un sobreviviente del combate donde murieron otros; el Mono Guillermo estaba tirado en la Calle de las Miserias, su hermana Alejandra tecleaba orgullosa un computador, los obreros lo saludaban en la constructora de los Urueña y, sobre todo, Ester. Sí, Ester, de compañera de Aristizábal, de mujer de su verdugo. Estaba agotado, no quería pensar más, deseaba hundirse en un sueño distinto, profundo y quieto, que le permitiera huir, alejarse del mundo y sus angustias.

Una obsesión, más que cualquier otra, lo acompañaba. No sabía si había pensado o soñado con esa idea durante toda la noche, pero lo cierto es que se acostó y se despertó con esa pregunta que parecía un taladro en acción: ¿Será que fue Ester quién alertó a Aristizábal para que éste nos montara la perseguidora por fumar marihuana? ¿Será qué ella nos sapió?

Ya en la mañana Agustín y sus compañeros fueron llevados, en dos grupos y de manera alternada, hasta un hueco en las afueras del campamento.

–Bueno aquí es donde se caga y lo pueden hacer sólo al levantarse, cuando nosotros vengamos a traerlos –les dijo uno de sus custodios.

Agustín y el Mudo fueron los únicos que se atrevieron, en medio de la celosa vigilancia de la guardia que había relevado a Frentonces y a sus dos pares. Enseguida los llevaron a la quebrada a que se bañaran y lavaran sus uniformes militares. Los soldados intentaron dejar secar sus ropas un rato, pero muy cerca había un grupo de guerrilleras, y Agustín y sus compañeros prefirieron vestirse con los uniformes mojados.

Luego los formaron, los llevaron hasta el rancho y les dieron una ración igual a la de los muchachos: una taza de chocolate y dos mogollas. En el campamento había movimiento. El Catire despedía a dos de los otros comandantes, que partían con sus escuadras. Un grupo iba hacia el sur y el otro tomó una trocha rumbo al occidente.

Después del desayuno, Frentonces y otro muchacho vinieron por el sargento, que bañado en fiebre, seguía su viaje por los paisajes del delirio.

Agustín miró por unos segundos fijamente a Frentonces, como pidiéndole que les diera alguna seguridad sobre el futuro del sargento. El muchacho, mientras cargaban al herido en una improvisada camilla, lo dejó convencido, sin decirle una palabra, de que Tierradentro iba a ser atendido.

–Tranquilo mi sargento que vamos a salir de ésta –le dijo Agustín a su comandante.

Tierradentro, transportado por los muchachos, recorrió todo el campamento hasta llegar a una carpa de lona blanca, montada en el último rincón. Allí había dos heridos, tendidos, uno sobre un lecho de hojas y la otra sobre un cobertor y una sábana. Un hombre que parecía estar de visita, ordenó que acostaran a Tierradentro sobre una mesa de madera y le pidió a Mercedes que le ayudara.

–No están mal las vendas, ¿quién se las puso? –le preguntó el hombre en tono paternal a Tierradentro–. Tengo que hacerle una cirugía. Pero hay un pequeño problema: no tengo anestesia, apenas unos sedantes para calmarle el dolor y dos tragos de aguardiente que quedan en esta botella –siguió diciendo el médico en una suerte de monólogo porque el sargento no le decía nada y tenía los ojos clavados en Mercedes, quien lo miró con una medida dosis de solidaridad.

El médico quitó las vendas que le habían puesto sus soldados. Tierradentro, a pesar del dolor que le producía la tela al desprenderse de la piel, se abstuvo de quejarse y escondió una ligera mueca.

–Muy bien, guarde los gritos para dentro de un rato –le dijo el médico.

Mercedes alcanzó gasa, tintura de yodo y ayudó en la limpieza de la herida, en la parte superior del muslo derecho. Enseguida, con precisión milimétrica, valiéndose de una afilada cuchilla de acero, el galeno le rajó la piel, escarbó con unas pinzas largas y finas, hasta localizar la bala de un Galill que enseguida le extrajo. Tierradentro apenas si se lamentó, apretando los dientes con fuerza para acallar los gritos.

–No va a ser nada fácil curar ese túnel que le hizo la bala –le dijo el médico. Tierradentro mantenía la vista fija en Mercedes, dueño del orgullo de quien soporta un dolor sin doblegarse. Ella, una vez más, le entregó con los ojos un callado y circunstancial apoyo. Pero dejando en claro, con la forma en que lo miró, que se trataba sólo de eso.

El cirujano le pidió a Mercedes que le alcanzara un poco de agua y le dio de beber al sargento.

–Me la podría haber dado usted –le dijo el sargento a Mercedes, como reclamándole, en la primera frase articulada desde cuando lo habían recogido sus hombres en el campo de batalla. Tierradentro no tenía conciencia del lugar en el que se encontraba, ni sabía tampoco con quién hablaba. Sólo veía claro que frente a él había una muchacha de ojos negros, que parecían diamantes.

–Muy amable, pero párela. Usted es un chulo y yo soy una revolucionaria. Evítese meterse en problemas –le dijo ella en tono de advertencia.

–¿Chulo? ¿Revolucionaria?, no entiendo nada –dijo el sargento con una voz lenta que sentía el efecto de los sedantes.

Ella se alejó y se sentó junto a Sara, quien dormía recostada en una sábana blanca. Tenía la oreja izquierda vendada y en su rostro se notaba el alivio que deja una reparadora jornada de sueño.

El médico se despidió, pidiéndole a Mercedes, a quien contempló por unos momentos con una mirada fija y directa, que le limpiara la herida a Tierradentro.

–Yo le mando en estos días más tintura de yodo y unos antibióticos para que le dé, si no se le pudre ese muslo –le dijo y se marchó en medio del silencio de Tierradentro.

Sara se despertó muy efusiva. Abrió los ojos y sus pupilas se inundaron con el color de la alegría al ver a su compañera:

–Hola Mercedes –le dijo saludándola, con la emoción de quien regresa de un largo viaje y se encuentra a alguien muy de sus afectos. Las dos se abrazaron, felices tras su incierta separación en la víspera del combate.

–¿Sí ves hermanita, lo que te dije? Que nosotras salíamos bien del chispero, que las almas benditas o el diablo o quien fuera, nos iban a cuidar. ¿Qué día es hoy?

–Miércoles, Sarita, un miércoles de la buena suerte.

–Qué bueno. Yo salí con esta herida, pero eso se me pasa –dijo y se tocó la oreja vendada–. Aquí estamos, mi Mercedes, aquí estamos, vivitas y coleando. No sabes la dicha que siento de encontrarte. La herida fue lo de menos, lo que sí me dio muy duro fue enterarme de lo que le pasó al Ratón y a los otros compas.

–El Ratón –le dijo Mercedes a Sara–, nos va hacer mucha falta. Él decía que si un día íbamos a desfilar victoriosos por las calles de la capital, por fin iba a conocer una ciudad grande donde podría comprarse unos tenis Nike originales, porque los que vendían en Pueblo Grande eran pirateados. Antonio le enseñó a leer y él se puso recontento cuando logró leer unos versos de Pablo Neruda. Se los aprendió de memoria haciendo planas y empezó a recitarlos. Decía, muy convencido, que se iba a volver un poeta, el poeta de Pueblo Grande.

–¿Y tú qué sabes de los otros muchachos, a cuántos más pelaron los chulos? –le preguntó Sara.

–Unos dicen que a tres, otros que a cinco y otros que a diez –respondió Mercedes–. No se sabe y, como siempre, eso no se va a saber del todo.

–Me dijeron que el Catire está mal por lo del Ratón y por el regaño de Efraín, que por eso se emborrachó anoche.

–Sí, eso dicen y ya se sabe que cuando el Catire se pone así, lo único que quiere es más tropel. Mire Sarita, la verdad estoy confundida. He pasado la noche en vela después de ese combate. Usted sabe que me tocó apoyar al lanzallamas que incendió el cuartel. He pensando en esta guerra, en qué sentido tiene, le he dado muchas vueltas a las reflexiones de Antonio, lo que escribió en sus últimas Cartas Cerradas.

–Mercedes, por favor, no me vayás a leer ahorita lo que escribía Antonio porque me deprimo. ¿No has escuchado a Efraín y al Catire? Si no fuera porque tenemos cómo disparar, a nosotros no nos oía nadie.

–Ahí está el rollo, parecemos un fusil, sólo servimos para disparar. Y fíjese que el Ratón y los otros compas terminaron mal.

–Sí, claro, ¿pero cuántos chulos nos llevamos nosotros por delante? Una cosa es irse de este mundo peleando y otra cosa es marcharse como un cordero.

–¿Y qué sacamos con esta tierra convertida toda en un cementerio? ¿Esa es la Revolución? –preguntó Mercedes con tono de pelea.

–Cuántas veces nos ha dicho Efraín que toda revolución tiene sus víctimas.

–Sí, claro, está bien que toda revolución tenga sus víctimas, pero lo que no está bien es que todo el pueblo sea víctima de la Revolución.

–¿Acaso es que todos son víctimas de la Revolución? Si aquí hay gente que se muere hasta de la envidia.

–No nos salgamos del tema, Sarita, ni volvamos esto una cosa de envidias de comadres. El asunto es que nos volvimos, como dice el Catire, los perseguidores de todo el que se nos pone por delante.

–¿Y qué? ¿Acaso es que a nosotros nos correspondía eternamente el papel de los cristianos tirados al circo? No, mi Mercedes, las cosas cambian, ahora les toca a ellos, que salgan y enfrenten a los leones en la arena.

–¿Y quiénes son ellos? ¿Ese hombre que está ahí tirado, con esa pierna jodida?

–¿Y ese quién es?

–Es el sargento, el jefe de los chulitos –le contó Mercedes en tono conciliador–. Vino el médico y le sacó una bala de la pierna y mire que no se quejó ni nada. Anda como perdido, como si no supiera dónde está. Se quedó profundo porque el médico le dio aguardiente y dos sedantes. Por cierto, no dejaba de mirarme. ¿Si ve cómo es el Catire?, me asignó aquí sólo por joder al chulo.

–Huy hermana, qué tal vos con tu chulito jefe. Esa película si no me la perdería yo por nada del mundo –afirmó Sara con aires de amistosa burla.

–¿Qué tal yo con un chulo? No me lo puedo imaginar.

–En los asuntos del amor, mi Mercedes, vos no podés decir de esta agua no beberé –le replicó Sara.

El día transcurría tardo, como abandonado a su propia pereza. Tierradentro intentaba regresar a la realidad. Abrió los ojos despacio, su vista deambuló por la enfermería, observó a las dos mujeres, luego pareció que se miraba hacia adentro como esculcando su ser y entonces recordó, en ráfagas de sucesos, los episodios del combate, la altura de los refugios, el cuartel destruido, sus hombres cayendo, el Orejón con la cara partida, los cuerpos del Radiolo, del Zambo, de Rubén el leal, de Bernardo el ruso, y comprendió dónde se encontraba. Había despertado, de vuelta al territorio habitado por la áspera realidad de la derrota. Por un instante miró a Mercedes y a Sara que lo observaban confundidas de ver cómo su rostro se cubría, a la vez, con los tonos de la desolación y la ira. El sargento se levantó a tropezones, sosteniéndose en una pierna, miró a las dos muchachas y salió casi arrastrándose de la carpa.

Sara y Mercedes lo observaron y no se atrevieron a detenerlo. Su confusión despertó en ellas una tácita solidaridad.

Tierradentro avanzó por todo el centro del campamento, arrastrando su pierna izquierda como si el empeine fuera una barredora, y dando rápidos saltos con su pie derecho. Los muchachos, extrañados, lo observaban sin atreverse a detenerlo, a decirle que regresara a la enfermería, como si supieran que aquel hombre se dirigía a una cita inaplazable.

–¿Qué le hicieron a mis soldados? –gritaba Tierradentro mientras avanzaba–. ¿Dónde están mis soldados? –reclamaba, hasta que cayó con la pierna derecha doblegada por el peso de la herida, en la mitad del campamento. El muslo parecía un profundo cráter negro, la carne asomaba espesa y fermentada. Tenía el pantalón desgarrado, una franela blanca le cubría el torso, en una pierna vestía un calcetín verde y la otra estaba desnuda.

–Mis soldados –volvió a gritar con toda la fuerza que le era posible–, qué me les hicieron. ¡Asesinos! ¡Bestias salvajes! –decía mientras lo rodeaban tres decenas de guerrilleros y los cinco soldados que habían abandonado el corral, sin prestar atención a sus custodios, al escuchar la voz rasgada de su comandante. Nadie se atrevía a dar un paso más, a intentar calmarlo, a hacer algo. Todos lo observaban en silencio, con una mezcla de respeto y asombro, atentos a lo que hiciera y dijera. Tierradentro intentó ponerse de pie, haciendo un esfuerzo supremo. Pero la pierna no le respondió y cayó de rodillas.

–¡Mátenme ya! ¡Mátenme! –dijo a gritos, antes de empezar a sollozar.

El sonido de un disparo retumbó en el campamento, asustando por igual a guerrilleros y soldados que de una se corrieron hacia atrás dejando a Tierradentro solo, como abandonado a su suerte. Todos buscaron con sus miradas el lugar donde se originaba el chasquido del impacto, creyendo que alguien atendía el reclamo del sargento.

Pero no.

Era el Catire que, con el fusil agarrado en su mano derecha, había disparado al aire. El comandante guerrillero se dirigió a donde estaba Tierradentro, mientras una especie de calle de honor se abría a su paso.

–¿Usted es el jefe, no es cierto? Pues a usted es al que le corresponde dispararme. Vamos, hágalo ya, no le dé miedo que sólo le va a disparar a un hombre –le dijo el sargento al

Catire como si le lanzara un último desafío, exhausto ya del esfuerzo que había realizado.

Agustín quería intervenir a favor del sargento. Pero no era capaz de hacerlo. Vamos, Agustín, métete, di que te tienen que acabar a ti primero antes de tocar a Tierradentro. Vamos Agustín, hazlo sin susto, vamos. Pero no fue posible. La presencia dominante del Catire lo intimidó. Se dijo entonces que era un cobarde, que ahora tenía todavía más miedo que en la víspera del combate. Agachó la cara y se refugió en su callada vergüenza. Creyó que todos se habían dado cuenta de su actitud medrosa y su rostro se enrojeció, sintiéndose observado por decenas de ojos castigadores.

Pero en realidad nadie lo miraba a él, todos tenían puesta la vista en el sargento Tierradentro, que estaba de rodillas en medio de un amplio círculo formado por muchachos y soldados, mirando fijamente al Catire.

El jefe de las guerrillas se paró frente al sargento, le puso la boca del fusil en la sien y le dijo:

–Yo he matado a otros hombres, pero no a un hombre arrodillado que quiere que lo acaben. Jódase sargento –le advirtió; alzó el arma y volvió a disparar al viento–. Todo el mundo a su sitio, los prisioneros a donde deben estar y la guardia a sus puestos de vigilancia. Lleven el herido de regreso a la enfermería –dijo con incuestionable autoridad el jefe de las guerrillas. Tierradentro, envuelto en su frustración, intentó ponerse de pie, pero su pierna derecha no respondió y se desplomó entero sobre la tierra tiznada de verrugas.

LA ABUELA Amelia y mamá Ruth recorrieron en su viaje de día y medio en busca de Agustín, los caminos de piedra, los senderos de espigas y las veredas de flores que separaban a la ciudad capital de Pueblo Grande. A su paso se les fueron juntando otras madres, que tenían un destino común y una incertidumbre parecida. Ellas se treparon al autobús, una por una, en las estaciones de los caseríos de barro, las aldeas lacustres, los pueblos de brisa y las ciudades de arena. Vestían sus pañolones terciados y llevaban zarcillos dorados. Una palabra única y un amor sin dudas las convocaba: ¿Dónde está mi hijo? decían en una sola voz, un idéntico reclamo y un común desvelo.

El coronel que dirigió la recogida de los cuerpos de entre las cenizas del cuartel, con la faz lívida y la voz confundida, después de escucharlas cuando descendieron en tropel del autobús, inició la ceremonia del adiós en la plaza de armas de la brigada. El alto oficial llamaba a lista, anunciando el nombre del soldado, luego el sobrenombre con que se le conocía y enseguida venían los honores militares.

–Bernardo Franco, el leal, honores a él, un héroe de la Patria –dijo el coronel. Sonaron entonces los acordes de la banda de guerra que interpretó una retreta fúnebre. La madre del joven militar se dirigió a la caja mortuoria que le señalaron, cubierta por el pabellón nacional y dentro del que reposaban los restos bañados en formol. Al llegar frente al ataúd recibió la condecoración póstuma al valor, impuesta por el general en jefe, máxima autoridad militar de la brigada.

Esa obra en tres actos se repitió varias veces, hasta que la mamá de José Maraver, el Radiolo, se negó a aceptar que él estaba dentro de uno de los féretros.

–¡No! ¡Ese no es mi hijo! No me den medallas porque no hay motivo. Mi hijo terminó de pagar el servicio militar esta semana, yo creo que ya está de viaje, de regreso a casa –dijo mientras se desvanecía.

Al concluir el ritual, aquellas mujeres quisieron ahogarse sumergidas dentro de su propio llanto y envueltas en la bandera tricolor. Al ver a sus hijos convertidos en un haz de recuerdos, en los pasajeros prematuros de un viaje sin retorno, sus lágrimas se desbordaron hasta formar una quebrada que corrió en busca del río El Dorado, al que arrojó sus aguas en pena. La congoja se adueñó del caudal que navegó impaciente, apresurado por llegar al océano donde esperaba por fin tener sosiego.

Ruth y doña Amelia soportaron el calvario del llamado a lista. Al final, cuando terminaron la entrega de las condecoraciones y los honores militares, Ruth estuvo a punto de saltar de alegría, de gritarle al mundo que Agustín, su hijo, estaba vivo, que ella haría lo que fuera necesario para encontrarlo. Pero se contuvo a tiempo, mientras se abrazaba con la abuela Amelia, quien durante la ceremonia no pudo soltarse de la imagen de Wolfgang Huber. Lo vio ahí, idéntico a como era tantos años atrás. Con su escaso cabello rubio, junto a su mujer, diciéndole aquellas palabras premonitorias: Digan lo que digan esto es otro holocausto.

Ruth se acercó a la progenitora del Radiolo, a quien conoció meses atrás cuando coincidieron un día de visita en la brigada.

–Tenga paciencia, señora –le dijo Ruth tratando de consolarla.

–Yo paciencia tengo, lo que no tengo es a mi José –le respondió la mamá del Radiolo–. Que Dios me perdone, mi señora, pero malditos sean una y mil veces los que le hicieron esto a mi niño.

Las madres se fueron marchando una a una, de regreso a casa junto a un féretro. Detrás de uno de los cajones, iban tres pequeños agarrados a la falda larga y negra de una mujer joven.

Las madres que no recibieron medallas, hablaron con el coronel.

–No les puedo asegurar nada –les dijo el oficial–, pero es posible que se los hayan llevado los bandidos de Efraín; por lo menos es la información inicial que tenemos.

–Está vivo, doña Amelia, Agustín está vivo, mi corazón me lo dice –le repitió Ruth a su suegra, con quien había compartido el viaje de día y medio en autobús, desde la ciudad capital hasta Pueblo Grande.

En ese recorrido las dos mujeres viajaron junto a sus oraciones por Agustín, quien estaba presente en su conversación. Hablaron también de formalidades, como tantas otras veces lo habían hecho. De las empanadas de pollo que llevaban para comer en el camino, de la falta de sueño, del tiempo que duraba el viaje.

Con el correr de los relojes y los kilómetros se decidieron a entreabrir una puerta hasta entonces sellada. Fue como si los silencios guardados durante años quisieran por fin hablar, soltarse después de una paciente espera, decir lo que no habían dicho.

–Gracias doña Amelia por acompañarme a buscar a mi hijo, este es un viaje muy pesado.

–Tranquila, su hijo es mi nieto y por eso es como si fuera dos veces hijo mío.

–Aunque alguna vez haya peleado con usted, yo la quiero mucho, le dijo Ruth.

–No se preocupe por las peleas, yo le dije hace años a Agustín Enrique que no iba a ser fácil la convivencia de dos pájaras en una misma pajarera. Al fin de cuentas a una le dan sus celos por sus hijos.

–Sí, tiene razón. A mí me daban con esa muchachita Ester, y sus aires de mujer importante.

–Igual a mí, cuando usted se enamoró de Agustín Enrique. ¿Sabe Ruth?, lo que menos me gustaba por esos días es esa cosa suya de defender el silencio, cuando hablaba hasta por los codos.

–La comprendo doña Amelia, lo que pasa es que si uno predica el silencio es porque habla mucho, y se da cuenta de que callarse le trae beneficios. Igual me ocurre con lo del ritmo o lo del equilibrio.

–Le reconozco que ha progresado, ahora habla menos que antes. Pero con eso del equilibrio y el ritmo si no me convence. Yo creo que el equilibrio es para los acróbatas y el ritmo para los bailarines.

–Seguro, doña Amelia, así debe ser.

–Ahora, mija, usted sabe que a veces no comparto el trato que le da a Alejandra. Esa muchacha es un ejemplo para todos nosotros.

–Yo lo reconozco, pero es que casi no le gusta ayudar en las cosas de la casa.

–Sí, pero las épocas y las personas cambian. Fíjese, por ejemplo, tan distinto que es Agustín Enrique a mí. Cuando la época del negocio, no me ayudaba a preparar la chicha, no me acompañaba a los convites del barrio ni tampoco le gusta votar.

–Menos mal, imagínese doña Amelia yo con un marido dedicado a perder el tiempo en la politiquería.

–Eso sí, me heredó las ganas de trabajar y también la costumbre de guardar algo en la alcancía, porque uno nunca sabe qué pueda pasar mañana.

–Sí señora, con algún ahorro hasta el dolor es más llevadero, y que conste que no he sido ambiciosa.

–Bueno ahí sí toca decir que todos juramos que no somos ambiciosos, pero cuánto nos gusta la platica. ¿A quién no?

–Ay doña Amelia, es que la plata mejora a las personas. Las feas se vuelven bonitas, los chiquitos grandes, los mala gente unas buenísimas personas. Lo que para el pobre es una tragedia, para el rico es apenas un problema.

–Está bien, pero lo que para el pobre es una alegría, para el rico es una pendejada.

El autobús se detuvo en un parador, casi a las tres de la madrugada del miércoles. Un hombre y dos mujeres que permanecían soñolientos detrás del largo mostrador se despertaron. Los viajeros empezaron a pedir arepas rellenas con queso, frijoles, carne desmechada. Una inusitada actividad a esa hora de la madrugada invadió el negocio. Al frente, en la vía, se oía el poderoso rugido del motor de una tractomula que arrastraba sus toneladas de madera. El conductor del autobús, tras advertirle a los pasajeros que la parada sería de treinta minutos, se bajó, golpeó las llantas del vehículo, una por una, le puso agua al radiador y se sentó a comerse un plato de fríjoles.

La abuela y Ruth pidieron en el parador de la carretera aguadepanela para acompañar las empanadas de pollo preparadas en casa. Se decidieron a comerse también una arepa y forcejearon un poco porque ambas querían pagar la cuenta. Luego fueron al lavabo.

–¿Por qué será que las mujeres siempre vamos juntas al baño? –preguntó Ruth.

–Cuando jóvenes para hablar de los hombres que nos gustan.

–¿Y cuando viejas?

–Yo hace años que entro sola –respondió Amelia.

La marcha continuó por entre carreteras que bordeaban montañas con rostro propio. Unas tenían la figura estirada, el pico afilado y los ojos abiertos de par en par. Otras sonreían en medio de su imponencia y todas parecían hablar entre ellas, en un diálogo que sólo era posible en las cúspides de la naturaleza, de cumbre a cumbre.

–Señora Amelia, ¿no es cierto que Agustincito está vivo?

–Si mijita, él está bien, la Virgen de la Laguna lo está protegiendo donde quiera que se encuentre.

–¿Será que sí?, tengo miedo, me imagino muchas cosas. Esta cabeza me da vueltas, quisiera no pensar tanto.

Terminada la ceremonia en la brigada y después de ver partir a sus compañeras, Ruth, Amelia y las otras madres que aún esperaban noticias de sus hijos, fueron a almorzar a la plaza de mercado de Pueblo Grande, ese mediodía del jueves. Servían un hirviente viudo de pescado, acompañado de arroz, tostadas de plátano, queso y limonada endulzada con panela. Afuera, en el corredor que daba al restaurante, cuatro mendigos se distribuían a los comensales para pedirles que les regalaran las sobras. Tenían el rostro cuarteado, los zapatos rotos y la ropa que llevaban puesta no se la habían quitado en meses, tal vez en años.

Ruth pensó que aquellos hombres eran los mismos pordioseros que ella veía con sus vasijas sin fondo en todas las esquinas de la gran ciudad. Creyó, aunque también sabía que no, que eran los mismos que la acosaron, golpeando la ventana del autobús en la larga lista de terminales y plazas de uno y otro municipio, donde el Expreso de los Andes se detuvo en sus treinta y seis horas de tránsito entre la capital y Pueblo Grande.

En el otro extremo del restaurante, Evarista, acompañada de su pequeño, que tenía un brazo vendado, escuchaba a la dueña del lugar, quien le soltaba una frase y enseguida atendía nuevos clientes, recogía la loza, daba instrucciones precisas a las cocineras, cobraba una cuenta, invitaba a los transeúntes a visitar su negocio y de nuevo regresaba a continuar la conversación.

–Tenga fe en que su hija mayorcita se le va a recuperar –le dijo la mujer del restaurante–, y agradezca a Dios que usted está aquí.

–¿Y por qué me dice eso? –le preguntó Evarista.

–¿No le han contado lo que pasó anoche en San Francisco de los Colorados?

–No. ¿Y ahora qué más pasó?

–¿Que más pasó señora Evarista? Que cuando los helicópteros se fueron, llegaron a San Francisco de los Colorados los hombres del tipo ese que por donde anda haciendo diabluras deja una blusa blanca y una corbata amarilla. ¿Se acuerda de quién le hablo?

–Ay Dios, claro que me acuerdo.

–Pues se llevaron a doña Doña Flor, envuelta en su pañolón de lino. La acusan de ser auxiliadora de las guerrillas de Efraín, porque días antes del ataque unos muchachos estuvieron tomando coca-cola en el negocio de ella. Dijeron que todos los auxiliadores de la guerrilla la iban a pagar caro, que si la bonanza de la Pajarita volvía a San Francisco de los Colorados sería con su venia, no con la de Efraín.

–¿Auxiliadora, mi comadre Flor? A los únicos que ella nos auxilia es a todos los del pueblo, fiándonos el mercado y todo lo que necesitamos. No puede ser.

–Pues así como le cuento fue, doña Evarista.

Evarista terminó de almorzar, sacó su camándula y se dirigió, muy despacio, a la catedral de Pueblo Nuevo. Se sentó en el portal a la espera de que fueran las cuatro de la tarde para entrar. Vio pasar al viejo de la carreta, esta vez sin carga. El hombre y la yegua parecían ir muy contentos, él cantaba una tonada y el animal se movía dando saltos. Ya en el templo, Evarista le rezó cinco rosarios a la Patrona de las Aguas. Los dos primeros por la salud de su Isabelita, el tercero por el alma de Ramón y los dos últimos para pedir protección para su comadre Flor.

Cuando salió de la catedral, cruzó en su camino frente al salón de los Hijos de Cristo. Allí Cecilia rogaba, como lo había hecho durante los últimos cinco años por el pronto regreso de sus dos hijas. Mercedes se fue a buscar a su hermana Raquel y apenas la encuentre, se vuelven las dos juntas para la casa, le decía con frecuencia a su padre Benjamín y a sus hermanos de credo.

Esa tarde del jueves, Cecilia dictó en el salón una lección bíblica anunciando la cercana llegada del Armagedón con sus ríos desbordados, los volcanes en erupción y la tierra entera sacudiéndose hasta desaparecer. La acompañaba, como era costumbre, Benjamín, que se la pasaba recostado a la pared, con el oído puesto sobre la tapia.

Evarista iba tan ensimismada en sus pensamientos, que se estrelló contra una anciana de cabello blanco, acompañada de una mujer madura. A Evarista le pareció que las había visto en el comedero de la plaza de mercado, pero no estaba segura.

–Disculpe, es por ir pensando en mis angustias y en mi Isabelita –le dijo a la anciana.

–No se preocupe, mi señora, y ojalá se le espanten esas angustias –le respondió doña Amelia, mientras Ruth le regalaba una sonrisa a la desconocida.

Amelia, sin saber por qué, cuando cruzaron frente a la casa de los Hijos de Cristo, recordó a su hermano, se vio junto a él en el lejano pueblo y en la lejana adolescencia, jugando a los colores.

Adentro, en el salón de estudios del Antiguo y el Nuevo Testamento, Benjamín, por un momento, habló en ese lugar donde siempre guardaba silencio:

–Uno, dos y tres, el rojo otra vez –dijo en un murmullo que casi nadie escuchó.

La mamá y la abuela de Agustín siguieron su camino hasta llegar a la catedral. Ruth se sentó en una de las bancas de madera, en posición de flor de loto a meditar.

Amelia, sorprendida de ver a Ruth acomodarse en la larga banca de madera, con las piernas recogidas, habló consigo misma: Vea pues, me lo habían contado y no me lo creía, hasta en la iglesia que es para rezar mi nuera hace su meditación, siempre es que anda medio chiflada. Luego intentó rezar un rosario, sin conseguirlo. La imagen de Benjamín, al que hacía muchos años no veía, y al que sólo recordaba muy de vez en cuando, la perseguía desde hacía unos pocos minutos, estaba ahí, en su mente, le parecía oírlo, verlo en persona. Qué extraño, ¿será que me estoy enloqueciendo de lo vieja?

Terminada la charla bíblica, Cecilia salió con Benjamín

rumbo al rancho en las afueras del pueblo. Al pasar frente a la catedral, Benjamín hizo una venia, hincándose un poco.

–No haga eso –le dijo Cecilia–, que es pecado.

–Quiero entrar –dijo él, sin que ella lo escuchara.

Cuando Cecilia se dio cuenta de que Benjamín intentaba entrar a la catedral, lo tomó del brazo.

–Papá ¿qué le pasa? ¿Se volvió loco? Nosotros hace años que no entramos a la catedral porque ya no somos católicos. ¿Acaso se le olvidó? Nosotros somos Hijos de Cristo, entrar ahí a rezarle a unas estatuas es entrar a un templo del pecado –le dijo y se lo llevó casi que rastras.

Al salir de la catedral, Ruth y Amelia vieron a la distancia, una cuadra y media adelante, a una mujer que forcejeaba con un anciano, al que llevaba arrastrando. El viejo intentaba devolverse y la mujer lo reprendía.

–La gente de este Pueblo Grande vive brava –exclamó Amelia al ver los dos cuerpos borrosos que bregaban al fondo, mientras la imagen de Benjamín seguía rondando en su cabeza. No dijo más y continuó su camino junto a Ruth, hacia la pensión donde se habían instalado esa mañana.

Evarista, camino del hospital, se preguntó quiénes serían aquellas dos mujeres. Lo cierto, pensó, es que son forasteras, por sus ropas y sus caras pálidas; no son de por acá. ¿Qué andarán haciendo por estas tierras? De nuevo se sentó en el banco de cemento, frente a la sala de cuidados intensivos, a esperar alguna razón sobre la salud de Isabel, quien permanecía pegada a un par de sondas.

Isabel vivía su propia agonía, su corazón agotado bombeaba cada vez con menos fuerzas. Los médicos, al recibirla en el hospital de Pueblo Grande, no entendían cómo la adolescente sobrevivía. Sus quemaduras eran de tercer grado, en extremo delicadas. Le habían incinerado parte del sistema nervioso y afectado seriamente un pulmón, los riñones, el hígado, los intestinos y todos los músculos del abdomen. La resistencia de Isabel llegaba a su fin ese jueves, día de las paciencias, según doña Flor.

Hacia las ocho de la noche, Isabel salió de su letargo y recuperó por un momento la lucidez. Entonces, como quien no quiere perder un segundo más, recorrió por última vez los escenarios de su existencia.

Tendida en la cama del hospital, Isabel se miró a sí misma, en una veloz secuencia de imágenes que cabalgan apresuradas por su mente y su corazón, a punto de silenciarse para siempre. De pronto ve lo que no había visto antes: La plaza de mercado de Pueblo Grande, donde están con su hermana y su mamá. Espérenme aquí, frente a la carreta, les dice Cecilia, y ella, la pequeña Raquel, observa deslumbrada la comparsa que desfila frente a sus ojos: Un hombre camina sobre una cuerda, otro despide bocanadas de fuego y un mago desaparece palomas. Se va detrás, se sube con ellos al bus que va al embarcadero y se encarama en el planchón que se desliza por el río, repleto de gentes y de bultos, hasta San Francisco de los Colorados. De camino por la trocha que conduce al pueblo, el mago del sombrero de copa la descubre: ¿Y esta niña quién es? Se devuelve con ella, pregunta en dos ranchos si la conocen, le dicen que no, que tal vez ande con los pescadores a orillas del río y el mago la alza y la deja dentro de una canoa: Al rato llega Ramón, junto al compadre Olinto, la saca de la vieja carraca, y la alza emocionado mientras celebra: ¡Milagro!, dice, ¡Es un milagro!, es un regalo de mi Dios.

Isabel respira profundo en la sala de cuidados intensivos: Dios mio –pide ella en su última plegaria–, cuide a mi hermana mayor, a mi primera mamá, a mamá Evarista y a mis hermanitos, que todos sean muy felices. Y le dedica, mientras sus latidos se detienen, un último pensamiento a Agustín, a quien contempla bajo el abrigo de las hojas desplegadas del samán. Ella le acaricia el rostro, juega con sus pestañas y le estira las cejas negras; él le pasa sus manos dulces por el cabello, por los pómulos y la besa en la frente.

¿QUÉ IRÁ A PASAR? ¿En qué irá a terminar este rollo? La abuela, mamá Ruth, mi papá y Alejandra, deben andar preocupados. Quién sabe si sabrán que estoy vivo. Tal vez en la radio ya dijeron que somos seis los sobrevivientes. Claro que de los seis el que peor la está llevando es mi sargento Tierradentro. Ese Catire lo ofendió muy feo y yo no fui capaz de decirle nada. Catire coño de madre, maldito el día en que te parieron, así te voy a gritar un día de estos, en tu cara, de frente y sin miedo. ¿Acaso es que eres más hombre que yo? ¡Qué va!

¿Qué pasaría con Isabel? Pueda ser que la pelada esté bien. ¿Y qué será de Ester? De la mano de Aristizábal, increíble esa historia. Con razón ni un saludo siquiera.

¿Será qué sabe algo del ataque? Quisiera que se enterara para que se acordara de mí. Pero si se fue para Europa con el látigo de Aristizábal, no tendrá ni idea de lo que pasa por acá, allá no se enteran de nada de lo que sucede en estas tierras. La gente del barrio sí debe estar al tanto del combate en San Francisco y deben saber que yo estaba ahí, dándome candela con los muchachos de Efraín. Seguro que en el barrio hablan del tropel y mi viejo estará orgulloso de mí. A él no lo convencía la nota del estudio.

No quiero doctores, en esta casa dice él, desde cuando yo inicio el bachillerato. ¿De dónde vamos a sacar dinero para pagar la universidad?, eso vale un platal, repite. La abuela Amelia, en cambio, es la única que se emociona con esa idea. Alguna vaca tendrá que dar leche, con tal de que tengamos un Zipagauta doctor, le responde ella. En este país sobran los doctores y hace falta gente que meta el hombro, mijito tiene que ser un maestro de obra, verraco, eso si da plata ¿oyó? insiste mi papá. No mijo, yo lo castigué a usted dejándolo de obrero de los Urueña y usted se la cobró a Alejandra, dejémosle otro destino al muchacho, le reclama la abuela. No, dice él, es que no quiero que Agustín sea un albañil como yo, lo que quiero es que sea un maestro de obra donde los Urueña para que vea cómo es que se gana plata de verdad. Entre un obrero y un maestro de obra, la diferencia es el uniforme. Mejor dicho, el maestro de obra es un albañil con mejor disfraz, replica la abuela cerrando el tema.

Yo quiero mucho a mi gente, pero qué mano de sapos. Que estudie, Agustín, que el que estudia triunfa y después que trabaje, Agustín, que el que trabaja triunfa y joda con un sirirí y otro. Pero bueno, es la familia de uno. Como me dice el padre Carlos mientras montamos las obras: la familia todo te lo da y todo te lo quita. O qué tal lo que me dice el curita cuando le cuento de mis peleas con Alejandra: Tranquilo Agustín que Caín y Abel ya nos enseñaron hasta dónde llega el amor entre hermanos.

Agustín viajaba por sus jóvenes añoranzas, mientras los batimentos de la noche andaban a su paso por entre las selvas, despidiéndose sin prisa de aquel miércoles. Los minutos no corrían, apenas si caminaban, se sucedían de lenta manera, sin la acuciante presencia de las manecillas del reloj, como si éstas también durmieran alejadas de su implacable obligación de registrar lo intangible: ese tiempo que no se ve, ni se toca, ni se palpa, ni se le conoce forma o peso, tamaño o estatura. Ese tiempo que no es ni líquido ni sólido, ni espeso ni denso, ni pesado ni liviano, ni grueso ni delgado. Tiempo insustancial y arbitrario, pero real y cierto.

El cielo estaba más despejado que la noche anterior y una cálida temperatura abrigaba el campamento. Agustín se levantó de la hamaca donde dormía junto a Ricardo, el mudo. Caminó hasta una de las paredes del corral, escuchó el seguro del fusil que se soltaba a la distancia y vio una sombra que se movía. Prendió un cigarro, aspiró profundo y la imagen oscura que percibía a escasos metros fue perfilándose con más claridad. Era Frentonces, que preguntó:

–¿Qué pasa, soldado?

–No pasa nada –le respondió Agustín.

–Tenga cuidado, porque al que se salga del corral sin permiso, le volamos la cabeza –le dijo Frentonces, haciendo una necesaria advertencia.

–Con su permiso me fumo un cigarrillo, hermano. Qué salirse ni qué güevonadas. ¿Para dónde va uno a salir de aquí? –le dijo Agustín con el acento de quien tiene la razón.

–Bueno, ya bájele porque despertamos a los que tienen derecho a dormir –respondió Frentonces en tono conciliador, a la vez que hacía una seña tranquilizadora, alzando su fusil, a los otros tres centinelas que prestaban guardia en esa zona y que se habían movido inquietos.

–¿Quiere un cigarro? –le preguntó Agustín a Frentonces.

–¿No estará envenenado? –dijo éste, mientras lo recibía.

Estaban separados, uno del otro, por las tres tablas de la pared de madera que bordeaba el corral donde permanecían los militares. Frentonces prendió el cigarrillo con un mechero que activó con su mano derecha, mientras en la otra sostenía su fusil con pulso firme.

–Hermano, dígame una cosa: ¿Qué piensan hacer con nosotros?

–No tengo ni idea qué van hacer con ustedes –le respondió Frentonces–. Eso lo decide el Catire, siguiendo las instrucciones que dé el camarada Efraín.

–¿Y usted por qué está aquí, pelado?

–Cosas de la vida, como le debió de pasar a usted

–¿Sabe cuál es la diferencia? Que si yo logro salir de aquí, en unos meses termino de prestar el servicio militar y vuelvo a la rumba y a ver a las peladas y puedo estudiar o trabajar.

–Ah, pero de pronto va y no sale. Nosotros también tenemos aquí unas hembras buenísimas, ojalá las viera, pero usted ahí encerrado no las puede ver. La diferencia entre ustedes y nosotros, es que nosotros estamos luchando por una vida mejor para todos.

–Eso es carreta que les mete Efraín. Siempre va haber ricos y pobres, hermano, así es en todas partes.

–Mire hermano, cuídese de hacer comentarios de Efraín y mejor parémosla aquí –advirtió Frentonces al tiempo que, malhumorado, se dirigía al sitio donde estaban sus compañeros de guardia.

–Oiga, Santiago, venga hermano, sólo una cosa y no hablamos más –le dijo Agustín, tratando de que no se marchara. ¿Si era Santiago el nombre que me dio la primera vez que hablamos?, se preguntó Agustín.

Frentonces se detuvo en seco, sorprendido al escuchar su nombre, que le sonó musical, amable, afectuoso. Todos los otros muchachos lo llamaban por su apodo: Qué hubo pues Frentonces. Hacía mucho tiempo que nadie le decía Santiago, aunque él todavía se reclamaba a sí mismo, de vez en cuando, por permitir que le impusieran otro nombre y otra forma de llamarlo, por no haber hecho valer su nombre de pila, su nombre verdadero. No le gustaba el Frentonces, le recordaba el otro mote, el de Cabezón, que le tenían en la escuela y que tampoco le gustó. Pero así lo bautizaron recién se incorporó a las filas de los muchachos de Efraín. Durante los primeros días rumió la idea de protestar, de exigir que no le dijeran Frentonces. Hasta pensó en las palabras que le diría al Catire: Mire comandante camarada, no me digan así, yo creo que merezco respeto como combatiente y yo tengo un nombre propio, como lo tiene el camarada Efraín, como lo tiene todo el mundo. Otra cosa es que usted prefiera que le digan Catire, eso ya es cuestión de gustos. Más de una vez se levantó con esa obsesiva intención dándole vueltas en la cabeza. Lo voy hacer, de hoy no pasa, pero no se decidía. Su idea, con el correr de los días, se fue diluyendo entre ese catálogo de quejas no exteriorizadas que todos cargamos dentro.

Ahora, la palabra Santiago le sonaba cordial, entrañable, sonora. Como si le devolvieran un tesoro que le habían robado y que ya creía definitivamente perdido. Oír su nombre original lo movió a detenerse. Se acercó de nuevo a Agustín y le hizo una seña, alzando la cabeza para que éste hablara, le dijera cuál era el favor que quería.

–Santiago hermano, una cosa sólo entre los dos. Si no se puede no he dicho nada, ¿vale?

–Bueno, sí. ¿Pero qué es tanto misterio? –preguntó Frentonces, tratando de ocultar su devuelta alegría.

–¿Usted no se puede conseguir por ahí un baretico para una noche de estas? Es sólo para mí, esta otra gente nada que ver –le susurró Agustín.

–¿Y por qué me dice eso a mí, precisamente?

–Usted sabe Santiago que eso es puro olfato. Uno sabe cuando habla con alguien que también se traba.

–Bueno, vamos a ver. No le prometo nada y usted no hable con nadie de ese tema, ¿vale? –le respondió Santiago antes de regresar, con un aire de orgullo metido en el pecho, a la pequeña atalaya desde donde prestaban vigilancia él y la escuadra a su cargo.

En la enfermería, el sargento sufría con su herida que no mostraba síntomas de recuperación, pese a la diligencia con que Mercedes la limpiaba con frecuencia, usando agua hervida y salada porque la tintura de yodo se había acabado. El militar estaba agradecido con la hermosa muchacha que era cuidadosa y diligente a la hora de velar por él. Ella lo atendió aún con más prestancia, luego de verlo salir esa tarde del miércoles a la plaza del campamento a gritarle al Catire que le disparara.

–Usted es un hombre valiente. Se lo reconozco –le dijo cuando él regresó a la carpa, recordando en su fuero interno a Antonio y una de sus frases: al enemigo no hay que menospreciarlo porque sí. Del otro lado hay gente que pelea muy duro.

De a pocos, entre el sargento y ella creció la confianza y el diálogo, aunque cada vez que Tierradentro le hacía algún lance, convencido que se trataba sólo de tener paciencia para que ella terminara por oír sus palabras, Mercedes cambiaba, pasando de la afabilidad al desprecio, sin transición alguna. El militar le fue contado su vida, sus aventuras de guerrero, sus aficiones, hasta hacerla confidente de un despecho que cambió el curso de su vida, de un episodio que llevaba guardado bajo la piel, como una pena callada.

–De niño, en mi pueblo –le cuenta Tierradentro a Mercedes–, a mí me gusta ir a la panadería en las madrugadas, atraído por el olor del trigo. De visita en visita, aprendo a desempeñarme de ayudante del panadero. Pasan cinco o seis años, y de poco en poco, voy conociendo todos los secretos del buen pan: cómo lograr una masa ideal, cuánta harina, cuánto azúcar, cuánta agua, cómo batirla, cómo darle forma... Cuando ya estoy ducho en el oficio, aprovecho las fiestas de Chilavita y preparo, sin ayuda de nadie, un roscón muy grande. Se arma un alboroto, llegan los de la radio a dar la noticia y es el propio alcalde el encargado de comerse el primer pedazo del roscón más grande del mundo, como lo llaman. Cuando ya todos hablan de mi destreza, yo tengo la mirada puesta en una muchacha muy alta, de ojos verdes y piernas blancas y gruesas que todos los días visita la panadería, atraída también por el olor del pan integral con sabor a miel, que nadie hornea como yo.

"Me voy a los Arabanes, unas explanadas donde crecen silvestres las más bellas orquídeas, le armo un ramo precioso y se lo mando. Pero no hay respuesta alguna de ella, como si no se diera por aludida, como si no valorara mi esfuerzo, ni mi celo al escoger las orquídeas de unos pétalos de colores únicos.

"Dispuesto a no dejarme derrotar, rompo la alcancía donde guardo buena parte del dinero que recibo por mi trabajo y contrato al mariachi del pueblo para llevarle una serenata. Escojo las mejores canciones y dando lo mejor de mí, con la voz colgada sobre el lomo de los violines, las guitarras, las jaranas, el clarinete y las trompetas, le canto varios boleros. Su familia, el vecindario, los policías que prestan guardia en el pueblo, disfrutan con esas melodías y me aplauden a mí y al mariachi. Pero ella no se deja ver en el balcón.

"Descorazonado me voy a beber al puteadero del pueblo y allí, con media botella de ron entre el estómago, le cuento a la dueña de la casa mi desgracia. Solidaria, y enterada ya de la historia de aquel despecho, del que se hablaba noche tras noche en el burdel, me conmina para que le hable. Es lo único que te puedo decir, Tierradentro, habla con ella, pregúntale qué pasa. Pero estoy segura que no hay otro hombre de por medio, mi alma femenina sabe que es así.

"Yo creo en lo que me dice aquella mujer y eso me devuelve la ilusión. Al día siguiente espero a la muchacha de los ojos verdes a la salida del colegio de las monjas carmelitas, donde recibe clases de costura, y le hablo con el corazón en la mano:

"–¿Por qué me desprecia así? ¿Por qué no le gustan las flores, ni la serenata, ni nada de lo que hago por usted? Yo la amo, mi vida entera es suya si usted me acepta.

"Ella, serena, mirándome a los ojos, me responde:

"–Yo no lo desprecio, hombre, lo que pasa y sépalo de una vez por todas, es que a mí no me gustan los hombres, mejor dicho: a mí me gustan es las mujeres.

"–¿Cómo así?

"–Así como le estoy diciendo.

"–No puede ser.

"–Sí, hombre, sí puede ser.

"Desde ese día mi vida cambia. Ya no quiero la panadería, ni siento ese gusto de amasar la harina, de preparar pan de todos los tamaños y para todos los gustos. El pan me empieza a saber a mierda, lo mismo que el pueblo. Me quiero ir, aunque no siento rabia con ella. Es conmigo mismo que estoy tan dolido, como si yo fuera el autor único de mi tristeza.

"Decido enrolarme en el ejército, ser militar, que es una ilusión de niño, y vuelvo a renacer. Me gusta esta vida de desafíos, de exigencias, de saber obedecer y de saber mandar, de jugarse por la Patria, por lo que uno quiere y en lo que uno cree. Defender a mi Patria es un honor para mí.

"–Perdone si la agobio Mercedes, con toda esta historia, no sé por qué se la cuento".

–No se preocupe y gracias por contármela. Me parece una historia extraordinaria. Yo lamento el despecho que le tocó vivir, pero a la vez la admiro a ella por su honestidad –le dijo Mercedes en un tono que no dejaba dudas sobre su sinceridad.

–Usted es una mujer noble Mercedes, y yo lo que lamento es que siendo usted tan joven esté metida en esta vaina, en lugar de estar estudiando; ninguno de ustedes estudia.

–Aquí sí hay gente estudiada. El hombre al que amo estuvo en la universidad, a su lado he aprendido muchas cosas, he estudiado mucho –le dijo Mercedes, sin contarle que Antonio ya no estaba, que se había marchado dejando sólo sus Cartas Cerradas.

–¿Y dónde está ese hombre? Es para felicitarlo por la compañera que tiene.

–Por ahí anda.

–¿Y lo quiere mucho?

–Lo adoro –dijo Mercedes mintiéndole.

–¿Y quién es y cómo se llama?

–Un revolucionario y se llama Antonio.

–¿Y es peladito, así como usted?

–Ni joven ni viejo.

–Bueno, ya somos cuatro los veteranos de esta guerra, Efraín, el Catire, su novio y yo. ¿Y por qué lo quiere tanto?

–Porque es un hombre de verdad.

–A lo mejor hasta nos habremos dado bala en algún tropel con el tal Antonio –dijo el sargento, mientras seguía escondiendo el sordo dolor de su herida, hondo como un pozo sin final. Creía que internamente la herida se expandía, como una llaga negra y podrida, por toda su pierna, invadiéndola con su purulencia, avanzando sobre ella como un enjambre de moscas caronchosas. Pero guardó silencio y, para encerrarse todavía más en su propio suplicio, dijo que iba a dormir un rato. Cerró los ojos y se metió entre los fuelles de su herida, como un caminante que se aventura descalzo por un sendero imposible de transitar.

Mercedes, creyéndole, salió de la enfermería para dejarlo dormir. Se encerró en su cambuche, montado enseguida de la enfermería, se recostó, y en un acto reflejo hurgó en su morral, sacó el cuaderno de Antonio como lo hacía cada vez que hablaba de él, y leyó otra de sus Cartas Cerradas:

> Primer día del segundo mes, del segundo año como combatiente. Querido padre, te saludo con mucho afecto. Ahí vamos, moviéndonos de noche, en largas jornadas. Durante las tres últimas noches he caminado sin mostrar el cansancio, ni quejarme de nada. Me acuesto de último y me levanto de primero. Ayudé a cargar los trastos del rancho aunque no me tocaba y ayer presté dos guardias porque se necesitaba un voluntario que se doblara. Tengo que seguir así, disciplinado, comprometido, sin ir a desfallecer. Se acerca la hora del ataque, tengo impaciencia por que llegue. Quiero disparar, sentir el calor del fuego, confirmarme a mí mismo que soy un revolucionario capaz de trascender y superar el miedo. Durante los últimos días, antes de iniciar esta marcha, reunimos a los campesinos de la región y les hablé de los textos científicos de Marx y Engels. Les expliqué muy bien quién era Carlos Marx, su origen y su capacidad para leer las contradicciones en la historia de la humanidad. Les mostré que en nuestros campos todavía estamos en la etapa del señor y el siervo, les hice un resumen de todos los oprobios del capitalismo y cómo de la explotación, nace la semilla revolucionaria. Tuve que dar un giro cuando les hablé de lo que importante que es para una Revolución la abolición de la propiedad privada y del derecho de herencia. Ellos quieren tener su tierra propia algún día y poder heredársela a sus

hijos y se rebotan si uno no está de acuerdo con esas aspiraciones; donde se enteren de que no creemos en la propiedad privada no nos vuelven ni a mirar, seguro que ahí sí se rebelan de verdad. Bueno, por ahora termino acá, dentro de poco hay que salir y nos toca recoger y alistar.

MERCEDES PASÓ una página y otra, con ansiedad, en busca de descubrir algo más aunque no sabía bien qué, porque ya había leído todas las Cartas Cerradas de Antonio decenas de veces. Allí, en las páginas de ese cuaderno estaban resumidos no sólo los veinte años de la historia de él como combatiente, sino buena parte de su vida. Ella sacó un lápiz y en una de las dos últimas hojas, todavía en blanco, hizo varias multiplicaciones. Eran treinta y nueve años los que tenía Antonio cuando abandonó las guerrillas de Efraín, es decir catorce mil y pico de días, casi trescientas cuarenta y dos mil horas, más de veinte millones y medio de minutos de la vida de él, de las gentes que conoció, de sus angustias y sus ilusiones, todo ese tiempo convertido en apenas ciento noventa y ocho páginas de un cuaderno. Qué injusto, pensó, buena parte de la existencia de un ser humano contada por él mismo en unas pocas hojas, una vida que se disolvía en las escasas horas que ella gastaba en leer las Cartas Cerradas. Era mucho más lo que uno escribía en los cuadernos de un solo año escolar.

De cuántos muchachos, pensó ella, que ya se habían ido de este mundo en los campos de combate de unas guerras infames, que ellos no se inventaron, que ellos no dirigieron, las guerras de siempre, no había diario, ni memoria, ni registro de sus nombres y sus historias personales. Esas guerras púnicas, de secesión, santas, religiosas, colonialistas, fascistas, revolucionarias. Explicadas con discursos académicos, con razones de Estado, que para conservar el poder, mantener la cohesión social, como un instrumento de la lucha política o como una consecuencia natural de la condición humana. Razones siempre habrá para justificar lo injustificable: que la guerra es el juez último para dirimir un conflicto, la expresión suprema de la ley, la partera de la historia.

Mercedes recordó de nuevo al Ratón y supo, con certeza, que en unos pocos días se habría olvidado de él y de sus palabras finales. Como ya se habían olvidado todos los caídos en los cientos de ataques a otros tantos San Franciscos de los Colorados. Sepultados en fosas, luego de tirar sus cuerpos en bolsas plásticas negras. Como las que se usan para tirar la basura, los desechos, las cáscaras de naranja sin naranja, las cajas de leche sin leche. Se aferró aún más al cuaderno, que era la voz de Antonio, la prueba fehaciente de su paso por las guerrillas de Efraín. Tengo que cuidarlo más, se dijo, al verlo algo desencajado, con las hojas ya deterioradas, que acabarían por desprenderse y desaparecer. Sintió temor al pensar que era posible que el cuaderno terminara por dejar de ser. Tenía que cuidarlo, se repitió, ver la manera de protegerlo, porque así una parte de Antonio seguía con ella, certificando lo que él pensó, deseó, soñó y amó. Sí, él me amó, lo sé, me lo dijo muchas veces.

Ella ubicó de afán, con la seguridad de quien anda por una trocha muchas veces caminada, la página en la que Antonio recordaba el primer día que la vio:

> Primer día del tercer mes, del año dieciséis como combatiente. Hola Leopoldo, tuve una mañana distinta, de sorpresas. La rutina se rompió. Apareció una pelada bellísima cuando estaba dictándoles la clase de conciencia política a los muchachos. La trasladaron desde otro frente; creo que lleva un tiempo enmontada y se va quedar aquí. Hace rato que no veía a una mujer que me gustara tanto. Bueno no es tan

mujer, es una pelada apenas. Cuando la vi hice cosas de esas que creí que eran sólo recuerdos de otros tiempos. Me adorné el discurso, traté de ser lo más convincente posible, dejé de repetirme, puse ejemplos distintos, hice una referencia, no tan disimulada, a mi amistad con Efraín. Me emocioné, como hacía rato que no, diciéndole a los muchachos que no saben leer que debían aprender, que íbamos a retomar las clases, y recité un trozo de un poema. Claro que no dije quién era el autor, lo declamé como si fuera mío. Tú sabes padre, que el amor justifica hasta un plagio. Todo lo que hice, la verdad sea dicha, fue para tratar de impresionar a la pelada, para que me prestara atención. Mercedes, así se llama ella. El destino me la puso al frente y no la voy a dejar pasar. Qué pelada, no te imaginas cuánto me alegró la vida verla, su presencia me despertó las ilusiones apagadas. Ya te contaré más de ella.

Mercedes recordó, uno a uno, aquellos versos y vio a Antonio recitándolos para ella una y otra vez, en la vega del río, escondidos en las plataneras, refundidos entre los caminos húmedos, debajo del cambuche, con el corazón emocionado, transformado en otro ser, pleno, íntegro, sin dudas ni temores, entregado a las palabras.

Qué hermosa era esa balada, se dijo Mercedes, mientras la repetía embelesada, como sumida en un grato viaje del que no quería regresar: Soñé que tu me llevabas, / por una blanca vereda, / en medio del campo verde, / hacia el sol de las sierras, / hacia los montes azules, / una mañana serena. / Sentí tu mano en la mía, / tu mano de compañera, / tu voz de niña en mi oído, / como una campana nueva, / como una campana virgen, / de un alba de primavera.

–Es de otro Antonio, de Antonio Machado. Discúlpame

que tantas veces te haya dicho que yo lo escribí, es que uno enamorado es capaz de cualquier cosa –me confesó Antonio una noche.

–No importa, los poemas no son de quien los escribe sino de quien los recita y de quien los oye. Para mí esos versos siempre serán tuyos y míos, de nadie más –le respondí convencida.

Encerrada en su cambuche de plástico, Mercedes deseó que Antonio estuviera a su lado, acariciándola con suavidad, frotándole con sus manos delgadas la cabeza, besándole la frente, los pómulos y luego la boca, despacio, con la pausa necesaria para que ella cruzara el puente que lleva de la ternura a la pasión.

Entonces, mientras lo recordaba a él, rozó sus senos varias veces con la parte interna de sus antebrazos, luego los consintió con sus manos, primero en forma suave, después un poco más duro. Dejó una mano allí, dedicada a regodearse con el pecho que crecía, con el pezón que se apretaba como un niño que abraza la luna, y con los dedos de la otra mano recorrió los muslos de sus piernas, la superficie de su vagina poblada de vellos alebrestados. Se frotó varias veces, por un lado, por el otro, y luego se concentró en el clítoris. Primero, con unos movimientos que parecían desmenuzarlo lentamente, después restregándolo, olvidada ya de las trampas del pensamiento, sintiendo su ser emocionado que cabalgaba frenético en busca de un paraíso que frecuentó con Antonio y al que ahora llegaba sola, dueña de sí, poseída de su propio placer. Qué delicia, se dijo, dándose cuenta que esas palabras salían caminando solas, sin que nadie las llamara, por entre sus poros, provenientes de su pelvis, de su estómago, de su ser más íntimo.

En la mañana Mercedes despertó temprano, fue a la quebrada y dejó que su cuerpo jugara con el agua, después pasó al rancho a recoger la ración de desayuno para los heridos y se cruzó con Frentonces.

Los descomunales pucheros donde se preparaba la comida para aquel pequeño ejército exhalaban un humo espeso y gris. El tintineo de las cucharas y el bullicio de los muchachos que hablaban mientras desayunaban, formaban un sonido armónico, acompasado, dueño de su propia musicalidad, que se expandía por todo el campamento antes de desplazarse selva adentro, donde se transformaba en un eco monótono y extraño, sin identidad alguna ni razón para estar allí.

–Qui´ubo camarada Frentonces, buenos días. ¿Cómo anda esa vida? –le preguntó Mercedes.

–¿Qué cuenta la divorciada más bella de toda la comarca? –le dijo él, a manera de saludo–. Yo ahí, dedicado a vigilar chulos.

–¿Y cuántos chulos hay?

–Allí, en el corral, cinco y con el que ustedes tienen en la enfermería, pues seis.

–¿Y cómo le va con esa gente, camarada?

–Bien, ellos están advertidos de lo que les pasa si intentan cualquier chancuco raro. Hay uno que es como buena gente, un pelado así como nosotros, creo que es de la ciudad. Los chulos están rebotados, dicen que no van a recibir más comidas si no atienden al sargento, ¿cómo va él?

–Mal, esa pierna no se le mejora, el médico se fue sin que se curara, quedó de volver y no ha vuelto y tampoco ha mandado unos antibióticos que dijo que iba a mandar.

–¿Sabe qué Mercedes?, pero yo no he dicho nada. El Catire le dijo al médico que no lo cuidara más, que se fuera y que no mandara ningún remedio. Que quería verle al chulo esa pierna pudriéndosele día a día.

–Muy duro lo que me está contando.

–Mercedes, yo no he dicho nada. ¿Me lo promete? –le preguntó Frentonces, preocupado de haber soltado la lengua.

–Yo no he oído nada, camarada.

–¿Seguro, no es cierto? ¿Me lo promete por Antonio? Usted sabe que él me quería mucho a mí –insistió Frentonces.

–Que yo no he oído nada sobre el herido, camarada Frentonces. Nada, ni una palabra.

–Mercedes –le dijo él y ella se detuvo a escucharlo–. ¿Le puedo pedir un favor?

–Claro, camarada, ¿cuál es?

–Pero no lo comenta por ahí.

–No, tranquilo.

–No me diga Frentonces, es que yo no me llamo así. Mi nombre es Santiago, ¿vale?

–Ah, pero yo no sabía, como todos le dicen Frentonces y usted no dice nada.

–Santiago, ¿sí?

–Sí, Santiago.

Ojalá que no se me olvide la próxima vez que me lo encuentre, se dijo ella. Santiago, Santiago, Santiago, repitió varias veces. Con razón, pensó Mercedes, que el médico se fue y no nos dejó instrucciones ni nada. Con razón que cuando le dije al Catire que al chulo se le veía mal esa pierna, que si no era mejor llamar al médico, me respondió que no lo podíamos llamar porque andaba muy ocupado atendiendo a unos muchachos que estaban graves en el hospital de Pueblo Grande y me regañó. Me dijo que por qué una revolucionaria se preocupaba tanto por un chulo, que a Antonio eso no le habría gustado. Me provocó decirle que no se metiera con Antonio, que todos sabíamos las diferencias que tenían, que todos sabíamos que él odiaba a Antonio. Pero qué tal decirle eso, me echo encima a semejante culebra.

–¿Cómo le va sargento? –le preguntó Mercedes a Tierradentro–, aliméntese bien que usted aguanta mucho –le dijo al tiempo que le alcanzaba el plato de calentado y dejaba la tasa de aguadepanela en el piso.

Sara dormía y no la quiso despertar.

El sargento aceptó la invitación de Mercedes y desayunó. Tierradentro quería hablar con ella, reanudar el diálogo, pero no encontraba por dónde arrancar. Sabía que cualquier insinuación se estrellaría contra una roca. Aunque no lo aceptara, se sentía culpable por haberle contado la historia de su despecho. No he debido decírselo, esa era una historia mía, de nadie más.

–Malita la comida aquí, ¿no es cierto? ¿Qué haría el Catire todos los enlatados que nos quitaron? –se atrevió por fin a decirle.

–¿Acaso eran muchos? Cuatro latas, no más –respondió ella misma–. Las lentejas están ricas, no diga que no.

–Oiga Mercedes, una pregunta muy en serio. ¿Qué hace usted tan joven aquí?

–¿Y qué, es que por uno ser joven no puede estar aquí? ¿Qué hago? Pelear y ver cómo les vamos ganando, aunque digan que no.

–Tal vez tenga razón, aunque si el lunes por la noche a nosotros nos llegan los helicópteros, todos ustedes habrían salido espantados de San Francisco de los Colorados. Con los helicópteros, nosotros los ponemos a correr.

–Lo que pasa es que nosotros vamos con todo–replicó ella.

–Mire, ¿quiere saber por qué ustedes nos cogieron ventaja? Porque durante la época de los pactos nosotros nos quedamos dormidos en las brigadas y en los batallones, mirando de lejos a los del Club que estaban engolosinados en la construcción de su palacio de Versalles.

–¿Cuáles pactos? –preguntó ella a ver qué decía Tierradentro.

–Los de los políticos. Los generales sabían que si no jodían a los políticos y los dejaban seguir en su cuento, los políticos no jodían al Ejército, le aprobaban su plata y cada uno por su lado.

–Sea lo que sea, Efraín ha sabido organizar sus guerrillas.

–Sin la Pajarita Efraín no estaría tan crecido.

–Yo de la Pajarita no sé mucho, ese es un tema para hablar con Efraín y el Catire.

–Mientras haya Pajarita, la suerte nuestra va estar en manos de los gringos –dijo Tierradentro convencido.

–Efraín dice que ellos nos han atropellado siempre y que ustedes, mi sargento, son el ejército de ellos.

–Acuérdese que a la hora que a Efraín le toque entenderse con ellos, pues se van entender.

–¿Qué va a negociar Efraín con ellos? Nada, el camarada no puede ver a los gringos.

–¿Que no va a negociar nada? Usted es como ingenua. Ellos son muy jodidos, se lo digo yo que me entrené militarmente con ellos.

–Vea pues, nos salió gringo el sargento. De Los Andes a Nueva York en directo y sin escalas. Esa sí no me la sabía. Cuente cómo fue la cosa.

Tierradentro se emocionó. Ella le daba la oportunidad de solazarse con uno de sus mejores recuerdos.

Se vio allá, en la Academia.

Son las cinco y treinta de la mañana, la diana suena, y él se pone de pie. Se ducha con agua fría, desnudo entre todos esos cuerpos, la mayoría blancos y grandotes. Se viste el pantalón verde, sin una arruga, la camiseta de un blanco pulcro y las botas negras que brillan. Todos van al templo a la oración y luego el desayuno: leche, cereal, frutas en abundancia, jugo de naranja, pan, huevos, café.

Después vienen las exigentes jornadas de entrenamiento militar, con dos horas de marcha al trote con el equipo a las espaldas en la pista de tartán, enseguida la dura trepada al cerro de pasto artificial, luego dos horas más de simulación de combates, con esos robots móviles al frente, que son más despiertos y más vivos que un ser humano.

Más tarde, en el aula de clases, el sargento Preston explica con detalle en el tablero los movimientos del enemigo durante el simulacro, detalla las equivocaciones de la tropa y la manera como deben actuar en la próxima jornada. Él oye en sus audífonos la voz nítida de la traductora.

Los ojos de Tierradentro se deslumbran con lo que ven: orden, aseo, tareas precisas, roles definidos, horarios fijos. La pulcritud, el sentido del deber, la disciplina permanente, la respuesta juiciosa, lo llenan. Está en otro universo. Sin caos, sin ruidos estridentes, sin calles polvorientas. Un mundo de amplias autopistas, semáforos exactos, señales inequívocas.

Al finalizar el curso, el entonces cabo Tierradentro es declarado como uno de los tres mejores alumnos de la promoción. El sargento Preston habla en un sobrio acto: Desde este recinto que honra la memoria del adalid de la lucha contra la esclavitud, os digo que ahora sí estáis preparados para luchar en defensa de la libertad y la democracia.

–Allá no hay engaños en esas cosas –le dice Tierradentro a Mercedes–. A cada cual lo que se merece. No es por exagerar, pero mi sargento Preston es un maestro verdadero y un militar intachable.

Mercedes quiso rebatirle, decirle que exageraba, pero guardó silencio, aún a riesgo de sentir que se traicionaba a sí misma. Vio tanta emoción en las palabras del sargento, lo vio tan satisfecho pese a que la gangrena avanzaba, que sintió lástima de ir a robarle su pasajera dicha.

Tierradentro, agotado después de su apasionado viaje a la Academia, se quedó profundo.

Mercedes abrigó a Sara, que todavía dormía, le dio un beso en la frente y salió a su cambuche.

El sargento despertó hacia el mediodía. Se dio cuenta de que la herida no mejoraba, que la fiebre iba en aumento y su cabeza parecía un caldero. Mercedes regresó y notó que Tierradentro quería ocultar un malestar imposible de esconder. Le miró la herida, la limpió de nuevo con agua hervida salada y no supo qué más hacer. El muslo parecía un precipicio de sangre negra, sin fondo ni paredes. Ella pensó que debía hablar con el Catire, pedirle que hicieran algo por el herido.

Habría que esperar hasta que aquel regresara de una reunión con Efraín y los otros comandantes.

Tierradentro durmió otro rato, mientras una comisión de sus soldados, integrada por Agustín y el mudo Ricardo, llegó a visitarlo en la enfermería.

Los dos militares atravesaron el campamento, vigilados por cuatro guerrilleros armados que marchaban alrededor de ellos. Uno iba adelante y otro atrás, un tercero cubría el costado izquierdo y el último los vigilaba por el flanco derecho. Todos los otros muchachos miraban con curiosidad a Agustín y a Ricardo que caminaban incómodos, sintiéndose observados. Cuando llegaron a la improvisada enfermería, Mercedes habló con los muchachos y luego le dijo a los dos soldados que podían pasar, pero que el herido estaba dormido y era mejor no despertarlo.

Agustín la vio y no pudo ocultar su sorpresa. Recordó, de inmediato, las recientes palabras de Santiago: Nosotros también tenemos hembras buenísimas, es que usted ahí encerrado no las puede ver. Tardó cerca de un minuto en reaccionar y asumir el rol de indiferente que tanto le gustaba manejar en circunstancias parecidas.

Ricardo y Agustín vieron la pierna herida del sargento y lo que observaron fue una piel negra que olía a podrido.

Salieron y le preguntaron a Sara, quien despertó con la visita, y a Mercedes qué tratamiento le estaban aplicando a su jefe porque se veía muy mal. Agustín habló en tono de reclamo, dijo que así no se podía tratar a un herido y fue sorprendido por la respuesta de Mercedes, quien le dio la razón y le contó que esperaba el regreso del Catire para pedirle que hicieran algo por el enfermo, que trajeran de nuevo al médico.

Durante el intercambio de palabras, los ojos alumbrados de Mercedes y Agustín se cruzaron inquietos, con ganas de verse, de dejar a sus pupilas que dialogaran.

–¿La viste, Ricardo, sí la viste hermano? –le preguntó Agustín tan pronto llegaron al corral.

–¿Qué, la herida de mi sargento? Sí, claro que la vi, me parece que está grave –respondió Ricardo, convencido de lo que decía.

–Sí la herida está tenaz. Pero te hablo es de la muchachita hermano. ¡Huh, ¡Qué mujer! mi lanza, ¡qué hembra! y qué jueves tan chévere. Ahora sí qué preocupaciones ni qué Catire ni qué hijueputa.

EL PELADO ES lindo, tiene unos ojos, pensó Mercedes, impresionada con la repentina presencia de Agustín en la enfermería. Y cómo me miró, daban ganas de besarlo. Me encanta ese aire tan distinto, como de muchacho despreocupado. No debe tener más de veinte años, tan raro, es la primera vez que me pone a revolotear alguien tan joven. No sé bien por qué, pero a mí me gustan más hechecitos. Tal vez me he enamorado de dos hombres que me llevaban unos cuantos años, porque estaba convencida de que tenían una historia para contarme. En principio supuse que su madurez me iba a evitar penas y equivocaciones, que las vivencias de ellos me serían entregadas en cada una de sus palabras y en cada uno de sus actos. Pero la silenciosa marcha de Antonio fue una advertencia precisa de lo que ya intuía desde niña, desde cuando Raquel se perdió. El día en que él se fue comprendí que nadie vive los duelos de otro, ni sus ahogos, ni sus incertidumbres. A cada uno le toca andar su propia trocha porque lo esencial de la vida no se aprende en carne ajena, sino en el cuero de uno.

Qué diría Antonio si supiera que me gusta un soldado, seguro que no estaría de acuerdo. Pero más allá de lo que él piense o no piense, yo lo que estoy es armándome una fantasía en la cabeza. Entre el soldado y yo no puede haber nada. Nos separa un abismo, él es un prisionero y yo una revolucionaria, se dijo Mercedes cortante, peleando consigo misma, arrepentida, con deseos de devolverse antes de avanzar.

Tendría que convertirse en uno de los nuestros para que

pudiera haber algo entre los dos y eso no va a ocurrir, insistió Mercedes en su monólogo, buscando razones para sepultar una semilla que podía crecer y volverse un tallo firme, dispuesto a sobrevivir.

Ni uno sólo de los chulos que capturamos ha dicho yo me quiero quedar, yo quiero apostarle a la Revolución. Antonio decía que esa era una muestra de nuestras debilidades, que en otras revoluciones una parte del ejército oficial terminaba por creer en los ideales de los rebeldes y se cambiaban de bando y aquí nadie, ni uno siquiera para mostrar. Pero yo lo que tengo que hacer es dejar de ilusionarme con pendejadas. A lo mejor el pelado ni me miró. Claro que Sara dice que sí, que casi me traga con los ojos. Que si no caí con un chulo veterano y herido, voy a caer con un chulo alentado y joven. Pero qué va, ese pelado es una fantasía y nada más. No me puedo engañar, tengo que aterrizar. Tal vez ni lo vea más, como tantos otros enamorados de un instante que se han cruzado en mi camino.

Entre nebulosas, Mercedes, recordó a aquellos hombres que alguna vez intentaron enamorarla, pero que por una y otra razón no fueron más allá de esa frase inicial, de esas miradas momentáneas. No los volvió a ver y se quedó sin saber quiénes eran, cómo se desdoblaban en la intimidad, cuáles eran sus miedos y cuáles sus sentimientos. No sabía si ella ocuparía algún espacio en sus cavilaciones, si alguno la recordaría.

Pero hay uno, con el que apenas habló una vez, que aún la recuerda, que no la ha olvidado, que la piensa y no va a dejar de hacerlo. Mercedes lo sabe, su corazón se lo dice. Todavía le parece ver sus ojos, inundados de ternura cuando le habla y la mira, en esa única ocasión en que pudo hacerlo.

Pero desde ese mismo instante, Mercedes sabe que esa no es la mirada de un hombre interesado en ella como mujer; se trata de otro tipo de sentimiento que no logra descifrar del todo.

El hombre está tendido en el piso, unos meses atrás, con los pies amarrados a una cadena fijada a la pared del rancho y las manos esposadas. Mercedes está de guardia afuera, en la puerta de la chabola, y él, un secuestrado por las guerrillas en Pueblo Grande, que sólo será liberado cuando pague la tasa que Efraín y el Catire han fijado, pide un poco de agua.

–Un sorbo de agua por favor, eso no se le niega a nadie.

–Ya va –le dice Mercedes, que al entrar cae en cuenta que no lleva su capucha puesta, que él le va a ver el rostro, pero ya qué, no hay caso, y le alcanza su cantimplora para que beba.

–Eres una niña muy bella –le dice él, después de tomar ansioso el agua–. Ya me lo había imaginado desde cuando te vi encapuchada vigilando en la puerta.

–Gracias, pero aquí no estamos para piropos.

–Lo sé, pero es verdad lo que te digo. Yo soy de Pueblo Grande, ¿tú también eres de allá, no es cierto?

–Sí.

–Mi familia tiene dos fincas producto del trabajo de tres generaciones y fíjese lo caro que me está saliendo ser un campesino de mejor familia ¿Tú de qué familia eres?

–Aquí no tenemos familia, ni pasado, ni infancia. Aquí nacimos el día en que llegamos a las guerrillas de Efraín y termínese de tomar el agua porque no voy a conversar más.

–¿Tú no eres de la familia de Cecilia y de Don Benjamín?

–No, ya le dije que aquí no tenemos familia, ni pasado ni nada que se le parezca.

–De verdad te lo digo, eres muy bella, lástima que tengas

que andar encapuchada; deberías estar estudiando en el pueblo. ¿Por qué no seguiste estudiando?

–No más carreta, yo no estoy aquí para entablar conversaciones con usted.

Mercedes le quita la garrafa y siente la calidez en las manos húmedas del hombre encadenado. Entonces se decide a mirarlo y a oírlo.

–¿Sabes qué veo en tus ojos? –le dice él–. Veo un espejo en el que se reflejan la angustia y el dolor de una larga fila de secuestrados, como yo. Somos almas en un purgatorio que no nos inventamos, somos unos fantasmas refundidos en ese cristal azogado desde el que hoy gritamos, con nuestras bocas amordazadas, que no más, que basta ya, que paren este desmadre.

Pobre hombre, que dolor tenía, sus ojos reclamaban por tanto atropello, por el peso de esa cadena miserable, se dijo Mercedes. Antonio, tu tenías y tienes razón. De nuevo volvió al cuaderno de las Cartas Cerradas y leyó lo que tantas otras veces había leído.

> Sí padre, así como te lo cuento sucedió: esto es una mierda, de esta manera no vamos a ninguna parte, les dije yo. No, estás muy equivocado, la Revolución todo lo justifica, me repitieron ellos durante el juicio que me siguieron por acción enemiga. Nosotros somos un gobierno en la sombra y a través del secuestro cobramos los impuestos que cobra todo gobierno, me dijeron ellos. Que no puede ser así, les respondí, en medio de nuestra lucha en defensa de la libertad y del cambio social estamos esclavizando a otros. Empezamos con tres o cuatro personas. Hay razones, nos decíamos, políticas o económicas; se trata de empresarios y terratenientes que financian a los del Club o de políticos corruptos que les con-

siguen votos o de líderes sindicales que se torcieron; ellos deben pagar su deuda con la historia. Pero vea en qué vamos ya. Podríamos fundar una ciudad entera con todos los secuestrados, niños y ancianos, mujeres y hombres, y la podríamos regar, hasta inundarla, con el agua de las lágrimas de sus familiares, les respondí yo. Te lo estoy escribiendo tal cual como ocurrió en este triste día, mi tercer día del segundo mes de mi año diecisiete como combatiente.

Usted es un pequeñoburgués, compañero Antonio, me replicaron. ¿Acaso ellos les pagan bien a los obreros de sus empresas o a los peones de sus fincas? ¿Y ustedes creen, les pregunté yo, que los obreros o los peones están de acuerdo con el secuestro de sus patrones? No, yo sé que no, ellos lo que quieren son mejores condiciones salariales y sociales, ¿o es que la plata que pagan los secuestrados la dedicamos a mejorar los ingresos de sus trabajadores? Pues no...

Yo también creo que no, Antonio, dijo Mercedes como si hablara con el cuaderno de las Cartas Cerradas. Tienes razón, esto es una mierda, un desmadre, de esta manera no vamos a ninguna parte.

Eso no importa, que estén de acuerdo o no, me aseguraron ellos. Claro que sí importa, les dije yo. Si nosotros decimos que representamos los intereses de los oprimidos, hay que saber qué piensan los obreros y los campesinos. Pero más allá de eso, es que nos volvimos, sin darnos cuenta, los verdugos de los otros, tengan o no tengan. Estamos dedicados a comerciar con la gente, le pusimos precio a sus cabezas como al ganado. Somos unos negreros, como los del siglo XVII, les compramos secuestrados a las bandas de delincuentes y se los vendemos a sus familias. ¿Y acaso usted cree, me preguntaron, que la Revolución es un juego de niños o una conversación entre señoras? Pues no, esto es una guerra y en la guerra todo vale.

Enseguida, Leopoldo, me dijeron que de nuevo estaba equivocado. Sé que no me fusilaron porque Efraín me aprecia y tiene una gratitud especial conmigo. Cuando leyeron el veredicto degradándome, quitándome la jefatura y el fusil, y prohibiéndome hablar de los secuestros, me advirtieron que una queja más y sería fusilado. Efraín me recordó el aprecio que me tenía y me pidió que no cuestionara más las instrucciones superiores porque ya no me podría defender más, que no me dejara afectar por el fallo en mi contra, que diera ejemplo de buen revolucionario, que con mi dedicación recuperaría algún día el fusil. Pero claro que a mí sí me afectó, y aunque me dejaron sin el arma aún así voy a seguir peleando. A la hora de la hora es en las marchas, en la vocación de servicio, en el combate abierto, donde se mide el compromiso revolucionario de cada uno. Ya escribiré con mejores nuevas, con el corazón más alegre.

Es la penúltima de las Cartas Cerradas que guardó, se dijo Mercedes, preguntándose una vez más por qué Antonio había dejado el cuaderno de sus confidencias y sus secretos. ¿Para que yo las abriera y reflexionara sobre mi propio camino? ¿O lo hizo para que las leyera con otros muchachos? ¿O, más bien, en el afán de irse, se le olvidaron? Lástima no saberlo.

¿Qué será de él? ¿Se habrá ido a la ciudad? ¿Estará en Pueblo Grande? ¿Se irá a dedicar a combatir la política de las mentiras, sólo con palabras? Cualquiera que sea tu opción, Antonio, te lo digo aunque no me escuches, la asumo con respeto. Ahora que tu decisión es la de dejar los fusiles, no la de vencerte ni rendirte, como dicen aquí, mantengo mi admiración por ti. Recuerdo que un día dijiste que para dejar las armas, después de palpar, experimentar y disfrutar del poder que ellas te confieren, se necesitaba demasiado valor.

Tierradentro despertó soñoliento y con fiebre. La gangrena avanzaba sobre su pierna derecha. El sargento parecía un tronco debilitado por la pala acerada del hacha que no perdona, picado en su cuerpo y en su orgullo. Un piquete de moscas, de alas azules y trasparentes, ojos salidos y patas largas, iban y venían rondando el toldillo que las separaba del muslo herido.

–Hubo ruidos hace un rato, ¿quién vino, qué pasó? –dijo Tierradentro cuando despertó.

–Vinieron a verlo dos de sus soldados, están muy preocupados con su salud. Pero ellos mismos pidieron que no lo despertáramos, que lo dejáramos dormir.

–¿Cuáles serían?

–Uno callado, de pelo castaño, y el otro de ojos negros, de cejas largas y pestañas pobladas, fue el que habló –dijo Mercedes conteniéndose, al darse cuenta de que quería continuar dando detalles, seguir de largo con la descripción del soldado que había golpeado a las puertas de su corazón.

–Ya sé quiénes son –dijo el sargento, olvidándose de la pierna que le pesaba como si los fuelles del muslo fueran de hierro–. Ricardo tiene una puntería única, nunca desperdicia un tiro –aseguró Tierradentro con emoción, como el padre que habla de los logros de sus hijos–. Agustín, aunque no tenga título, en la práctica es un ingeniero. Puedo decirle, sin exagerar, que es capaz de dirigir la construcción de un edificio –concluyó el sargento.

–Esos pelados lo quieren a usted, los dejaron venir porque entraron en huelga de hambre y el de los ojos negros no hizo otra cosa que defenderlo –le aseguró Mercedes.

Enseguida hubo una ligera tensión en el ambiente, un silencio circunstancial. Qué me importa, bien pueda, entérese si quiere, el soldadito me gusta, se dijo Mercedes, que mantenía la boca cerrada mientras observaba a Tierradentro. Ya la debió mover este Agustín, pensó Tierradentro. Les gusta a todas, pero aquí sí se puede meter en líos, pensó el sargento.

Aunque no quería hacerlo, aunque sentía que traicionaba su conciencia y sus afectos, Tierradentro intentó debilitar cualquier acercamiento entre Agustín y Mercedes.

–Tenga cuidado –le dijo–, porque ese de los ojos negros pica aquí y allá, y donde el Catire se entere de alguna cosa, a la que joden es a usted.

Ella no dijo una palabra y salió a buscar la comida.

Dije güevonadas que no debo decir, me metí en territorios ajenos, se reclamó Tierradentro, yo tan viejo y haciendo este papel.

Sara estaba recostada, entre dormida y despierta, y el sargento le habló.

–Oiga, aconseje a su amiga, que no se vaya a meter con mis soldados, no quiero enredos que no benefician a nadie, ni a ustedes ni a mis hombres –le dijo Tierradentro.

–Pero si ella apenas habló con sus soldados sobre su salud, no más. ¿No será que le están dando celos, sargento?

–Qué celos ni que chorizos, se trata de asuntos estrictamente militares.

–¿Qué asuntos?

–Asuntos militares que no puedo comentar –respondió él bruscamente, cerrando la incipiente conversación.

Sara abandonó la enfermería y el sargento de nuevo se

incriminó: no más hombre, párela ya, qué pena, jugándole sucio a Agustín, deje que se enamoren, lo que no es para uno ni haciendo fila se lo dan, aprenda a perder.

–Mercedes, hermana, te estás armando un lío, el Tierradentro está como cabreado, te puede sapear con el Catire cuando regrese. Le puede decir que le estás enamorando a uno de sus soldados y se te puede crear un problema jodido. Si quieres ver al soldado inventémonos otro camino –le advirtió Sara.

–No le hagamos caso al sargento ese. Más bien dígame cómo me veo, Sarita, es que se me están formando unas llanticas acá, ¿no es cierto? –le preguntó Mercedes con ese tono de quien busca que le respondan lo contrario.

–No, no le veo ningunas llanticas –le dijo Sara.

Mercedes, desde el comedor, mantenía la vista puesta en el corral donde estaban los soldados. La distancia no le permitía ver bien, sabía que eran ellos, pero no los distinguía con claridad, no podría decir cuál era Agustín y qué estaba haciendo. Mientras comía arroz con papas y un pedazo de carne, se dio cuenta de que dos soldados hablaban con el jefe guerrillero que estaba encargado del mando, ante la ausencia del Catire.

Los vio, luego, caminar a los tres, escoltados por un par de guardias, rumbo a la enfermería. Uno de ellos era Agustín y el otro el mudo Ricardo. Mercedes acosó a Sara para que acabaran de comer pronto.

–Bueno, vamos a la enfermería a llevarle la comida al jefe de los chulos, que ya se hizo muy tarde.

Cuando llegaron a la enfermería, Agustín le mostraba al subcomandante de los muchachos la pierna del sargento: la llaga crecía hacia los lados, el color de la piel era espeso, de un gris oscuro.

–Tienen que hacer algo, traer a un médico –reclamó Agustín.

–Mire amigo, el Catire es el único que puede pedir el médico. Mañana viernes él llega y le hablamos del caso del sargento. Los dejo para que visiten a su jefe, bien puedan, no demoren más de tres minutos –dijo el subcomandante guerrillero, dirigiéndose a los vigías y se marchó.

Tierradentro habló muy poco, apenas respondía con monosílabos a lo que Agustín le preguntaba o le comentaba. Agustín creyó que el tono frío y distante del sargento era consecuencia del malestar que le traía la herida. Tierradentro ya no hablaba, Agustín no encontraba que más decir, el Mudo tampoco abría la boca, Mercedes con el plato de comida en la mano esperaba, junto a Sara.

Nadie dijo una palabra durante cerca de dos minutos que parecieron eternos, en medio del intercambio apresurado y repetido de miradas entre Agustín y Mercedes. Fue un diálogo intenso y comprometedor, aunque no dijeran nada con sus voces.

Mercedes se cruzó frente a Agustín, rozándolo con su cuerpo, para entregarle el plato de comida al sargento.

–Señorita, gracias, pero no tengo hambre.

–Coma, que le hace falta –insistió ella.

–Que no tengo hambre –replicó él.

–Ahí le dejo para más tarde –dijo ella y colocó el plato junto a la improvisada cama de Tierradentro. Luego regresó cerca a la entrada, pasando, una vez más, muy cerca de Agustín.

–Nos vamos mi sargento, mañana vamos a estar pendientes de la llegada del Catire ese para exigirle que le traiga al médico –dijo Agustín despidiéndose.

–No hagan cosas que yo no les ordene, soldados –le respondió Tierradentro con tono autoritario–, y a la próxima dejen que vengan sus compañeros a verme. Ya no vengan más ustedes, que vengan otros porque yo soy el jefe de toda la compañía, no sólo de ustedes dos.

–Lo que mande mi sargento –respondió Ricardo.

–Vamos a ver mi sargento, primero está su salud y después las órdenes –concluyó Agustín.

–Adiós Mercedes –le dijo Agustín hablándole con la garganta, para que sólo ella lo escuchara. Enseguida le entregó, sin que se viera, un papel doblado. Sonrió al despedirse de Sara y caminó fuera de la enfermería.

–Adiós Agustín –le respondió Mercedes y lo miró coqueta. Agustín lindo, ya averiguaste mi nombre y todo, pensó ella.

–Permiso señoritas –dijo el Mudo.

Ni Mercedes ni Sara ni el sargento hablaron luego de que los soldados y su guardia se marcharan.

Tierradentro se sintió mal. Soy la cagada, se dijo. Tengo una herida que avanza y una culpa muy grande por la muerte de mis soldados; estoy celoso de Agustín, al que quiero como si fuera mi hijo, y ando enamorado de una muchachita que rechaza mis pretensiones. Qué miserias a las que me está llevando esta pierna podrida.

MERCEDES VOLÓ dueña del mundo y sus alegrías, mientras leía y releía el milagroso papel. Quería correr, atravesar el campamento con los brazos abiertos, como una puerta de par en par, llegar al corral, saltar el madero, gritarle a Agustín: Yo también quiero mirarte a los ojos y saber de ti.

Buscó a Sara y le leyó, muy emocionada, la carta.

> Mercedes quiero conocerte, saber por qué estás acá. Eres una pelada muy hermosa, te lo digo de verdad. Te cuento que mi vida ha dado demasiadas vueltas: dejé el liceo en la ciudad sin que estuviera en mis planes, me enganché en el Ejército sin pensarlo, llegué cuartel de San Francisco de los Colorados sin buscarlo, fui uno de los seis sobrevivientes del ataque no sé por qué, y ahora me pregunto si todas esas cosas no han sucedido sólo para que yo pudiera encontrarte. Si alguna de tantas vueltas ocurre de otra manera, no te habría visto, ni te estaría escribiendo. Necesito conocerte. Agustín.

–Prométame que no le va a decir a nadie, Sarita.

–Yo no le digo nada a nadie.

–Le gusté, lo sé, estoy segura.

Esa noche Mercedes, mientras leía y releía la carta de Agustín, buscó un cigarrillo con uno de los compas, lo prendió, fumó despacio, en tardías bocanadas, y fue quemando la esquela con la brasa hasta que ésta se hizo cardeña.

Antonio, quiero que lo sepas, él me atrae mucho, dijo Mercedes, abrazando el cuaderno de las Cartas Cerradas. Quiero conocerlo, saber qué piensa, no puedo condenarlo de antemano porque es un chulo. Tú ya no vas a volver, te fuiste sin despedirte siquiera. Voy a conocer a Agustín, él es mi primer alivio, mi primera ilusión desde que te marchaste. Tú mismo dijiste que uno no escoge de quién se enamora, que el amor es como la muerte, lo sorprende a uno en cualquier atajo.

Mercedes recordaba a Antonio, a la vez que pensaba en Agustín. Antonio era ese pasado que se había marchado, Agustín, el futuro que golpeaba a la puerta. Pretérito y porvenir fundidos en un presente inmenso y único.

Eran las ocho de la noche cuando Mercedes sintió, por un momento, que Raquel, su hermana, la llamaba. Se levantó asustada, miró a su alrededor y vio el mismo paisaje: las hojas de los árboles que se movían quejumbrosas, las empalizadas sin identidad, los cambuches de los otros compas, los muchachos atentos en sus puestos de guardia, pero no vio a Raquel, aunque tenía la seguridad de que la había oído, llamándola a ella: Mercedes, había dicho la pequeña con su voz montada, de niña consentida.

¿Dónde estará? ¿Por qué habré sentido que me llamaba? se preguntó, ajena al destino de Raquel que a esa misma hora del jueves, en el hospital de Pueblo Grande, se sumergía, tras ver correr su vida entera en apenas unos instantes, en un viaje definitivo al reino del calor. Cómo si rompiera las barreras del tiempo y el espacio para adentrarse en las profundidades del sol, a caminar entre los surcos incendiados de luz y los veriles bañados de fuego.

Mercedes se recostó de nuevo y se quedó dormida y soñó con su hermana que le reclamaba algo, pero ella no sabía qué. La vio junto a la carreta, frente a la plaza de mercado, en Pueblo Grande; parecía más alta, más mujer.

Es muy bonita esta Mercedes, se repitió Agustín, más bonita que Ester. Me dijo con los ojos que yo también le gusto. La hice rebién con lo que le escribí, de una, sin darle muchas vueltas al asunto. Tenga Mercedes, este soy yo, Agustín.

Los compañeros de Agustín dormían en posición fetal, recostados sobre el vientre de la tierra.

Yo tengo con qué soñar, por eso no estoy dormido, se dijo él.

Divagó y se vio con Mercedes en el salón comunal, una tarde de sábado, bailando salsa, luego andando por la Catorce mirando vitrinas en el centro comercial que para entonces ya estaría inaugurado. Después te enseñaré la ciudad: Estos son los trolebuses, lo llevan a uno de oriente a occidente, esta es la torre de los Urueña, la más alta que hay, mi padre la ayudó a construir.

Qué tal llevarte a la montaña, a Piedra Ballena, un día de sol y bañarnos los dos juntos en la quebrada, con esa agua helada que nace en lo alto del cerro. Y después mirar desde arriba, desde la cumbre, toda la ciudad; los edificios y los carros se ven pequeñitos y la gente parece como hormigas.

Vámonos, Mercedes y te prometo que un domingo iremos al parque de los enamorados a montar en bicicleta. Enseguida nos sentaremos a tomarnos una coca-cola y a contemplar los patos, me recostaré con la cabeza puesta en tu regazo y tu me pasarás las manos por la frente y me jurarás que me amas.

Un repetido pissss, pissss, lanzado por Frentonces con sus dientes apretados, interrumpió la feliz cabalgata de Agustín. Como quien despierta, se sacudió y vio que una sombra le hacía señas, cerca de las tablas del corral. Se dio cuenta de quién era y caminó hasta allá.

–¿Qué hubo Santiago? ¿Cómo va la causa?

–Qué hubo, pues hombre. Ya me iba a ir porque lo llamaba y lo llamaba y nada. Creí que estaba dormido.

–No, no estaba dormido, pero sí estaba soñando.

–Bueno, mire, aquí traje un toque de bareta –le dijo Frentonces y sacó un pequeño paquete de marihuana.

Agustín extendió la yerba sobre la palma de su mano izquierda y con la derecha fue desmenuzando los moños y haciendo a un lado las semillas. Cuando la marihuana estuvo convertida casi en polvo, la colocó en el papel que Frentonces tenía listo.

–Déjeme a mi –le dijo Agustín y armó el cigarrillo que redondeó muy bien, con sus puntas iguales y más delgadas que el resto. Lo pegó con saliva, mojándolo apenas lo necesario y luego lo dejó rodar varias veces entre su mano estirada, antes de prenderlo y aspirar a fondo.

–Qué detallazo, Santiago. De verdad, hermano, gracias –le dijo Agustín mientras le pasaba el cigarro.

Los dos fumaron, en una suerte de ritual que los unía, como si sus uniformes y sus diferencias se acercaran y descubrieran todo lo que tenían en común.

El humo de la marihuana regó su olor entre las fragancias de un viento cálido, que soplaba hacia el oriente, mientras los mosquitos le huían a ese aroma y se refugiaban entre los cuerpos de los soldados que dormían. Una bandada de murciélagos andaba de cacería, sobrevolando aquellos parajes selváticos, con sus alas de delgada membrana extendidas y sus recios caninos listos para el ataque. A la distancia los grillos machos, de cabezas redondas y ojos saltones, ahogaban sus agudos chillidos entre el eco de las aguas de la quebrada que llegaba hasta el campamento. Los animales de monte, borujos, armadillos y conejos, salían de sus madrigueras.

–Yo la primera vez que fumé bareta lo hice en un potrero.

Estaba asustado pero me había comprometido a hacerlo con un parce mío –le contó Agustín a Santiago.

–Yo la probé un diciembre en el pueblo, con unos manes más grandes y como a los diez minutos me dio la perseguidora, pero en la Navidad volví a fumar y me dio más nota –recordó Frentonces algo emocionado.

–Más alegre que una traba en nochebuena no hay nada –le respondió Agustín.

–¿Sabe cuál fue mi mejor nochebuena? Cuando me regalaron un balón de fútbol, y por fin pude poner las condiciones en la cuadra, aún con los más grandes –pero claro, pensó Frentonces, ya sin contarle a Agustín, esa alegría, como todas, se me acabó un día. El balón se reventó debajo de las llantas de un autobús y mi reinado terminó. ¿Qué hubo cabezón?, nos va tocar jugar con tu mollera, me decían los grandotes.

–El fútbol es una nota, verlo o jugarlo. A mí nada me emociona más que un partido de la selección, !uhhh!

–Seguro, yo nunca me olvidaré de ese empate en el mundial, mucho partidazo y eso que era un peladito cuando lo vi. A mí me habría gustado ser futbolista profesional –dijo Frentonces–. Esa gente sí gana billete ¿oyó?

–Sí, claro, pero más ganan los que están detrás, los que montan el negocio. Yo tengo un amigo que es un crack, el pelado que me dio a fumar bareta la primera vez, ya está en la segunda del Atlético Premio y, dentro de poco, va a debutar en la profesional.

La mañana del viernes, el campamento hervía de actividad desde muy temprano. Los muchachos lavaban sus ropas en el río, arreglaban los cambuches, barrían y limpiaban el armamento, como si se prepararan para algún acto especial.

Agustín leía la respuesta de Mercedes, que le llegó escondida entre el desayuno.

> Agustín, gracias por su mensaje y sus palabras. A mí también me gustaría conocerlo más, se lo confieso. Pero tengo miedo. Mañana usted se va de aquí y yo me quedo apenas con el recuerdo de lo que pudo ser y no fue. Nuestra amistad no puede ser, yo soy una revolucionaria y usted es un soldado. Usted tendría que declararse desertor del ejército y volverse guerrillero para que aquí aceptaran una amistad entre los dos. No vaya a pensar que se lo digo para ver si lo hace, no. Quiero conocerlo, de verdad. Mercedes. PD: por favor, queme esta cartica después de que la lea.

La leyó una vez, dos veces, veinte veces, hasta que sus ilusiones se sostuvieron todas sobre las únicas frases que para él contaban, las únicas expresiones que tenían credibilidad y peso: Quiero conocerlo, de verdad. Ya me conocerás Mercedes, ya lo sabrás todo de mí, y entonces te darás cuenta de que aún sin verme ya me conocías, que todavía sin escucharme ya sabías de mí, que me habías estado esperando desde siempre en estas selvas olvidadas.

–¿Qué horas son?, por favor –preguntó el sargento, en tono lastimado–, ¿en qué día andamos? ¿A qué fecha estamos? –dijo de regreso de su soñoliento extravío.

–Son la una y cinco de la tarde del viernes nueve de abril –le respondió Mercedes.

–Qué hora tan negra y qué día tan oscuro –aseveró él, aunque afuera la luz del sol se colaba por entre las cabezas de los árboles apretujados.

Tierradentro le preguntó a Mercedes y a Sara qué pasaba, por qué tanto revuelo, cuando vio que ellas ordenaban y reordenaban el escaso mobiliario y los frascos vacíos que había en la enfermería.

–Lo que pasa es que ahora llega el Catire –le contó Sara–, y siempre que él regresa de alguno de sus viajes, la monta por todo, reclama que hay basura, que hay desorden, que la tropa está indisciplinada, que no se puede ausentar porque todo se hace a medias. Siempre es lo mismo, por eso todo el mundo está acelerado.

El Catire fue llegando y comenzó a ver problemas en todas partes.

–Ese fusil está sucio, camarada. No parece un fusil de un revolucionario, sino más bien parece el fusil de un fascista. Mire ese rancho, sin aseo, esas ollas sucias, la comida regada, como si esto fuera una cárcel y no un campamento militar. Usted, en lo mismo de siempre –le dijo a la muchacha de largas trenzas que intentaba alcanzarle una toalla, actuando como si fuera la criada de un terrateniente y no la compañera de un rebelde.

En su recorrido por el campamento, vio a los soldados en el corral y llamó al subcomandante:

–¿A estos prisioneros por qué no los sacan a tomar el sol?

–Pero camarada Catire, ahí en ese corral les da el sol todo el día.

–No me contradiga hombre, yo no puedo irme de aquí sin que esto se despelote. Así se lo voy a decir a Efraín la próxima vez que me llame.

Enseguida ordenó formar a todas las escuadras, les leyó el manual de los deberes y obligaciones de un revolucionario dentro de la organización, señalando cuáles, según él, no se habían acatado durante su ausencia. Los muchachos guardaron un prolongado silencio, que se mantuvo durante toda la comida, otras veces bulliciosa. Pero en esta ocasión sólo a la hora de acostarse se oyó algún murmullo en los cambuches. El Catire, tras su ejercicio de la autoridad, no tenía ánimos para reunir a su estado mayor, que esperaba algún llamado de él. En definitiva, no les iba a contar esa noche a sus hombres más cercanos los detalles de la jornada de trabajo con Efraín y los otros camaradas.

La muchacha morena de largas trenzas y piernas velludas se le acercó de nuevo a la hamaca donde él se había recostado. Le quitó las botas, le alcanzó una botella de aguardiente, le desabotonó la camisa y le besó el pecho lentamente, mientras él bebía un trago. El Catire la abrazó y la invitó, empujándola suavemente, a que subiera a la hamaca. No hubo pausa alguna, él le chupó, desaforado, los senos maduros, hasta que sintió que los pezones se enderezaban y se endurecían.

–Perdóname –le dijo–, si te grité, perdóname, por favor.

Ella le besó el cuello y le respondió:

–Tranquilo, no te preocupes por eso.

–¡Chilla!, por favor, ¡chilla! –le dijo él mientras la penetraba con apasionada violencia y ella, estremecida, ahogaba sus gritos, mordiéndole los hombros–. ¡Chilla! que nada me hace más feliz en esta vida –le repitió él.

El Catire se levantó, se vistió, se puso las botas, recogió la botella de aguardiente que apenas había probado y salió del campamento. Aunque no eran todavía las nueve de la noche, ya reinaba el silencio. Sólo los vigías de turno hablaban en sus atalayas. Caminó hacia la enfermería, corrió la puerta de la carpa de lona blanca y saludó:

–Buenas noches. Salgan de aquí, por favor –le pidió a Mercedes, quien limpiaba con un trapo mojado en agua hervida y salada la herida del sargento, y a Sara, dedicada a escuchar las noticias en la radio donde anunciaban el inicio de una maratón interminable para que todos los parientes de los secuestrados les enviaran mensajes. Sara apagó el radio de inmediato.

–Mejor así, Sarita, no es bueno que escuches tanta basura que hablan esos encantadores de serpientes –refunfuñó el Catire, mientras ella y Mercedes salían de la enfermería.

Tierradentro, con dificultad, se enderezó y se sentó, sosteniendo el cuerpo sobre sus manos estiradas hacia atrás.

–Sargento, bébase un aguardiente conmigo –le dijo el Catire y le alcanzó la botella.

Tierradentro la recibió y bebió un trago largo y espaciado. El Catire, enseguida, hizo lo mismo.

–Buena enfermera que le tengo. ¿O no, Tierradentro? –preguntó el Catire que bebía de nuevo, antes de alcanzarle la botella al sargento.

–Mire hombre, no hablemos mierda –replicó Tierradentro molesto–. Yo sé que usted está dejando que a mí se me pudra la pierna. El médico no volvió, aquí no hay remedios y esa muchacha no es enfermera.

–Si quiere se la cambio.

–¿Por qué no llama al médico, más bien? Usted lo va a llamar cuando sólo pueda decir que me tienen que amputar la pierna, no hablemos güevonadas, esa es su intención.

–No hombre, cómo se le ocurre decir eso. Lo que pasa es que necesitamos al médico en otros campamentos, en otras tareas, aquí hay mucha movilidad, la vida nuestra es muy distinta a la de los cuarteles.

–¿Qué sabe usted de la vida en los cuarteles?

–Sé bastante, sargento.

–Usted no sabe lo que es eso.

–¿Quiere que le diga una cosa? Yo he estado dentro de los cuarteles.

–¿Cuándo? ¿Dónde? –preguntó Tierradentro con la seguridad de quien interroga consciente del valor de las preguntas como herramienta para desarmar al interlocutor.

–¿Cuándo? ¿Dónde? Allí no más, sargento. En la brigada de Pueblo Grande, detenido, encerrado en los huecos que hay al fondo de las porquerizas. Usted los tiene que conocer, de un metro con setenta de alto por treinta centímetros de ancho, donde apenas cabe uno, cubierto por encima con una tapa de alcantarilla, con dos rotos para que entre un poco de aire. Ahí metido sargento, como Dios me trajo al mundo, días y noches de pie, orinando, cagando, y comiendo ahí mismo. Usted aquí puede ir al monte, yo no.

"Después me sacan de esa pocilga, a ver si ya tengo memoria, a ver si ya me acuerdo de dónde está el camarada Efraín que en esa época anda en uno de sus viajes, imagínese usted sargento. Yo sólo lo he visto una vez, en un encuentro de las juventudes comunistas de Pueblo Grande con los jefes de la guerrilla para hablar de las distintas formas de lucha, nada más. Todavía no estoy en las guerrillas, todavía creo que hay que pelear políticamente, moviendo los sindicatos, trabajando con la gente del pueblo, haciendo periódicos clandestinos.

"De la pocilga me sacan esposado, en la madrugada. Dicen que me llevan al cuarto, así lo llaman. Allí me cuelgan amarrado de pies y manos a unas columnas, como si yo fuera una hamaca. Luego me meten la cabeza entre un talego de papel muy grueso que tiene en la boca una cuerda que aprieta y lo cierra. Al principio aguanto un poco porque tengo algo de aire, pero luego se acaba, y yo me desespero, siento que me voy, que ya no respiro, que me acabo. Intento morder el talego, pero es de una piel muy gruesa, no le hago nada. Me dan espasmos en los músculos, me vienen cientos de recuerdos, creo que los pulmones se me van a reventar, que yo me voy a reventar, que me estoy ahogando, ellos aguantan hasta que ya en las postrimerías sueltan el talego y yo siento que regreso del más allá.

"Me tiran un cubo de agua encima y vuelven con la carga de preguntas. Que no sé nada de Efraín, que no tengo ni idea de quiénes lo conocen en el pueblo, que no les puedo dar nombres de gente cercana a él, que lo vi casi que por accidente. No me creen nada y entonces me inmovilizan del todo y empiezan a pegarme corrientazos con una especie de tubo pegado a una batería que tienen. Al principio es como un cosquilleo, pero en seguida la intensidad se multiplica, siento que el cuerpo se me quema por dentro, pierdo todas fuerzas y ellos se van.

"Cuando vuelvo en mí, aparece el coronel. Delgado, ese fue el apellido que me dijo, nunca se me olvidará aunque sé que era un apellido inventado. Lo recuerdo como si estuviera ocurriendo ahora. Me habla en la penumbra, gesticula con sus manos de guantes blancos.

"–A ver querido camarada, simplemente ayudémonos, declarémonos socios en una empresa común. Usted me cuenta dónde está el campamento de Efraín y yo intervengo para que, por favor, no lo atropellen estos sinvergüenzas. Lo llevamos al hospital, a una cama limpia, con una sábana blanca, cobijas de hilo, luz, un televisor y comida a sus horas. Mientras se recupera hacemos los trámites para que lo incluyan en la lista de los amnistiados y, claro, verificamos su información. Libre, camarada, un hombre libre sería usted, con sólo abrir la boca y contarnos la verdad.

"–Se equivocaron de presa, coronel, no sé nada.

"–Vamos, muchacho, usted está muy joven, tiene un gran futuro, puede ser becado, recibir los beneficios del Estado en el que no cree, sólo díganos dónde está el campamento de Efraín, y quiénes son sus amigos en Pueblo Grande.

"–No sé nada, a Efraín no lo conozco, yo no soy guerrillero, soy apenas un militante político.

"El coronel, sin un solo gesto de contrariedad, me dice que se va porque no soporta ninguna forma de violencia. Y se pone de pie, altivo, seguro, con su uniforme sin una mancha, sin una arruga. Se coloca los guantes blancos de seda, alza su bastón de mando dorado y se marcha.

"Pasan unos minutos o unas horas o unos días, no sé, y me despierto tirado en cuclillas, medio sentado, hasta donde el espacio me lo permite, en el hueco al fondo de las marraneras, desnudo y engarrotado del frío. Siento que vienen ellos, llegan en tropilla, son cuatro o cinco. El susto que siento es muy bravo. Otra vez ellos, no puede ser. Hoy sí vas hablar comemierda, hoy vas a ser un tipo inteligente, porque de lo contrario te vamos a arrancar los pulmones, y empiezan a golpearme con sus porras. Me llevan arrastrando hasta el cuarto y me cuelgan de nuevo, y vuelven a enfundarme el talego en la cabeza, que no me deja ver nada. Aguanto apenas unos dos o tres minutos, ya no puedo respirar, no soporto la falta de oxígeno, intento de manera desesperada tomar aire, sacar la cabeza, pero no lo logro, creo que me voy a reventar sargento, siento que me hincho, pierdo la conciencia. Estoy ahogado, cuando vuelven a soltar el talego. Una y otra vez, repiten la operación. Ya no tengo un aliento. Ya no sé bien quién soy ni dónde estoy, ni qué día es, ni qué mes, sólo veo a mi madre que me llama desde la otra orilla del río, cuando un baldado de agua me sacude.

"La puerta se abre, los hombres se marchan y un rato después, regresa el coronel, con sus elegantes maneras. Viste sus guantes blancos y mueve las manos mientras me habla. Me dice de nuevo que nos hagamos socios, que ya estoy en la lista de amnistiados, que sólo le diga lo que sé. Cuando le vuelvo a decir que no puedo, no porque no quiera sino porque no tengo ni idea dónde está Efraín, cambia, pierde la compostura, y me clava el bastón dorado en la espalda, me golpea y me patea rabioso.

"–No sos más que un comemierda, camarada arrastrado. Ya hablarás, todos terminan por hablar.

"Mi ausencia ha sido denunciada y los organismos internacionales le reclaman al gobierno por los desaparecidos. Por eso se preocupan, hay alguna orden de arriba y me llevan al hospital. Pero ¿sabe qué sargento? yo a veces en las madrugadas me despierto angustiado, creyendo que me voy a ahogar, que no aguanto, que no puedo resistir más los corrientazos que me queman por dentro. ¿Ahora sí me cree que yo he estado en sus cuarteles? –le preguntó el Catire, y bebió un trago más antes de pasarle la botella a Tierradentro.

El sargento guardó silencio durante unos prolongados segundos.

–¿Y si le creo qué pasa?, nada, porque eso ocurrió hace años –respondió Tierradentro mientras fruncía el ceño. Todo seguirá igual: mis soldados enterrados, San Francisco de los Colorados destruido, mi pierna pudriéndose y usted poseído por la enfermedad del odio, que es el más cruel de los males que puede padecer un hombre.

QUÉ TAL SI Agustín no está vivo, si mi pálpito falla, si todo es apenas un espejismo, se preguntó Ruth tendida en la cama del cuarto del hotel en Pueblo Grande, que parecía un horno en ebullición, atrapado por el calor inclemente que se burlaba de las cansadas aspas del ventilador que apenas rezongaban. Tenía el cuerpo vaporoso, el sudor corría por su piel y sus ropas estaban húmedas. Trató de no pensar, de respirar hondo y concentrar su mente en el oxígeno abochornado que subía por sus fosas nasales para ingresar de lleno en su garganta, en su cerebro, en sus pulmones. Recordó la técnica de respiración que les enseñara su último profesor de yoga: Aspiren y expiren sólo por la nariz, les decía él.

–Me voy a achajuanar si no me baño. Alístese doña Amelia que ya vengo y vamos a llamar por teléfono a Agustín Enrique y a Alejandra, a ver si ellos tienen alguna noticia.

–Vaya mija que el agua sana –le respondió la abuela Amelia.

Ruth dejó la habitación ocupada por dos camas de hierro de colchones ajados, sobre los que habían dormido muchos viajeros, un cajón para la ropa, una mesa con una jarra de agua y dos vasos. Salió al corredor y caminó hasta el fondo, cruzando frente a las puertas de otros aposentos, marcados todos con un número. La veintidós es la de nosotras, que no se me olvide, se repitió una vez más, como lo había hecho cada vez que salía de la pieza. Llegó al baño, dotado de una taza de porcelana magullada, un lavamanos amarillento y una ducha de tubo. Se aseguró de pasar la cerradura y se desvistió. A sus cincuenta y tantos años, su piel todavía no envejecía. El busto caído conservaba un dejo de belleza, sus piernas gruesas y las nalgas que tanto trastornaban a Agustín Enrique, evocaban mejores días.

Respiró con la atención puesta en su nariz y una vez más pensó en él, en su maestro de yoga, mientras abría la llave.

Lo vió como siempre lo ha visto durante estos años, sentado en posición de flor de loto, vestido de blanco. Con esos ojos que parecen dos aceitunas verdes, la barba roja de pirata y la cabeza descubierta, apenas con unos hilos de pelo que se sostienen en pie sobre su nuca. Él mueve el cuerpo con facilidad, dueño de una plasticidad que le permite hacer las asanas sin mayor esfuerzo. Todas las vecinas de la ciudadela Córdoba que asisten al taller escuchan su voz azucarada, cuando habla del maestro que le transmitió la sabiduría de los monjes del Himalaya.

–Respiren despacio –les dice él–, enfoquen la mente ahí, en su nariz, al inhalar cuenten mentalmente uno, al exhalar dos, al inhalar tres, al exhalar cuatro, sigan así, hasta diez, luego reinicien. Fijen, por favor, la mente en el recorrido que hace el oxígeno, síganlo como si ustedes fueran el aire.

Ruth, mientras se baña, se regodea recordando la voz del instructor que todavía le suena como un vals. Son palabras que cautivan, que enamoran, como si las pronunciara un violín: La verdadera búsqueda de la libertad se da al interior del hombre, el más grande desafío del ser humano es descubrir que sus principales enemigos lo habitan, viven dentro de él, que los alimenta y los engorda sin cesar, les advierte el profesor.

–¿Pero hay enemigos externos o no? –le pregunta ella.

–Sí, sólo que ellos te hacen daño porque tú los dejas. Te

lanzan la flecha, que apenas te lastimaría si tu no la revolvieras dentro de la herida que se expande con tus lamentos y tus resentimientos –responde él.

Sin hacer una sola insinuación de hombre en plan de conquista, termina por seducir a Ruth. La enloquece, diría ella más adelante, de la misma forma que chifla a las otras amas de casa que asisten al salón comunal, a sus clases durante dos semanas continuas. Que me perdone mi marido, pero es que este profeta sí está muy bello, dicen aquellas mujeres que miran espantadas la cercanía de sus cuarenta años. Todas apuestan, sin decirlo, a ver cuál se convierte en la discípula preferida, la que oficiará como asistente en el último tercio del seminario, encargada de preparar con él cada sesión final, hacer las actas de conclusiones del grupo y formar parte de la comitiva que lo llevará al aeropuerto de regreso a su ciudad natal en una lejana pampa, donde vive en un monasterio.

Ruth es la ganadora. Su belleza sazonada por los años doblega a aquel maestro espiritual. Pero usted sabe, Virgencita de La Laguna, que yo me arrepentí y le pedí perdón. Usted, Virgencita, una vez trató de insinuarme que le contara a Agustín Enrique, pero ambas sabíamos que él no soportaría la noticia, lloraría sin tregua, se declararía el hombre más desgraciado del mundo y me pediría el divorcio. Por eso nos dijimos que no era necesario armar semejante embrollo y usted dijo que me perdonaba, que más bien dejara de pensar tanto en el regreso del instructor, porque él no iba a volver por estas tierras, que sus ojos sólo miraban hacia la India.

–Vamos doña Amelia, ya van a ser las ocho de la noche, y Agustín Enrique y Alejandra deben estar esperando la llamada –dijo Ruth, dejando sus nostalgias a un lado, de nuevo con la cabeza puesta en el inmediato y difícil presente.

–Sí, vamos, que deben andar angustiados sin saber de nosotras.

Llegaron a la telefónica, donde una operadora de vestido ligero atendía, detrás de un mostrador de madera pintada de blanco, a los clientes que esperaban su turno para entrar a uno de los seis locutorios, sentados en tres filas de asientos plásticos.

–Ruth de Zipagauta, timbra en la tres –dijo la operadora.

–Agustín Enrique, ¿cómo están?

–¿Qué hubo mujer? Preocupados sin saber nada de ustedes ni del pelado. Voy a buscar a Eulogio Fierro a ver cómo nos ayuda.

–Sí, aló, aló.

–¿Ruth, me oye?

–Se cortó la llamada –le dijo Agustín Enrique a Alejandra y Ruth a la operadora.

Pasaron unos minutos, media hora, una hora y el teléfono en la casa de Agustín Enrique no volvió a timbrar.

–Deben estar malas las líneas, a lo mejor llaman mañana –dijo Alejandra y se soltó a llorar.

–No llore hija. O mejor llore y verá que así descansa. Tranquila que su hermano va a regresar sano y salvo.

–Dios lo oiga papá, porque cada vez que abro el armario y veo la ropa de Agustín ahí colgada de los ganchos, abandonada, me arrepiento y sólo deseo abrazarlo y pedirle perdón.

–¿Pero perdón de qué, mija? –le dijo Agustín Enrique y le pasó una mano por la cabeza–. Él la quiere mucho a usted.

–Yo también. Pero me da tristeza no haber hablado más con él y haber llegado a pensar que nuestra comunicación no iba a mejorar, que así sería de por vida.

–Tranquila Alejandra que su hermano va a volver y se van

a acabar los disgustos. Yo sí tengo de qué arrepentirme de verdad, porque lo mandé al Ejército y fíjese cómo celebré el día que Agustín recibió el fusil. Me emocioné más de la cuenta y ahora también me arrepiento –le dijo Agustín Enrique, mientras sus ojos se humedecían.

–Cualquiera se emociona en un acto de esos, yo también me sentí muy contenta ese día –recordó Alejandra–, mientras evocaba aquella ceremonia.

Agustín y todos sus compañeros de camada cumplen sus primeros cien días en el Ejército. Suenan las notas del Himno Nacional, un general que luce su traje de gala, repleto de condecoraciones, iza el pabellón, enseguida viene la santa misa y luego monseñor vestido de un traje color púrpura, con un Cristo de oro colgado al pecho y un anillo romano en el dedo anular, bendice las armas. Los soldados están formados en la plaza principal, frente a las astas de las banderas. Sus botas negras despiden un intenso brillo, sobre el que se reflejan los rayos del sol. Sus uniformes de paño verde, con cordeles blancos que cuelgan de las camisas, lucen impecables.

Es Agustín Enrique el encargado de cumplir con el más sublime honor que se le pueda encomendar al padre de un soldado, según dice el general que preside el acto. Toma Agustín, hijo mío, en nombre de Dios, de la Patria y del Ejército nacional te entrego este fusil, que te has ganado en franca lid, le dice Agustín Enrique a su hijo. Agustín recibe el arma y orgulloso marcha de regreso a la formación.

–Bueno no más lágrimas porque yo soy un llorón, el más llorón de los Zipagauta –dijo Agustín Enrique, mientras se limpiaba los ojos–. Me voy a buscar a Eulogio Fierro, mi hijo tiene que aparecer.

–¿Que vamos a buscar a quién?

–Bueno mija, camine. No me gusta llevarla a donde un borracho, pero camine.

Agustín Enrique y Alejandra salieron a tomar el autobús. Eran cerca de las diez de la noche. El barrio estaba vivo a esa hora, en las calles los niños correteaban felices, en el parque se celebraban las finales del torneo de microfútbol, en las tiendas los vecinos bebían cerveza y la rumba de viernes empezaba a calentarse en el salón comunal, donde Los Bacanes del Ritmo, la orquesta de moda en los barrios populares de la ciudad, tocarían salsa sin descanso.

Caminaron luego por los estirados andenes de adoquines con cuerpos de piedra, de la calle del Conquistador. El agua de la quebrada descendía desde los cerros tutelares, como si fuera un murmullo, por entre una acequia que caracoleaba evitando los viejos edificios coloniales, sobrevivientes del lejano incendio que se prolongó durante una semana cuando La Voz fue silenciada para siempre.

Alejandra observó el templo colonial de paredes blancas revocadas con cal, recordó sus retablos de alto relieve, sus naves vestidas de santos de ropajes esplendorosos y sus ménsulas y hornacinas recubiertas de oro reluciente. Era allí, en esa iglesia, la más antigua de la ciudad, donde ella soñó tantas veces que entraría con traje blanco y dos pajecitos detrás, uno de ellos su hermano Agustín. Caminando bajo los arcos de gardenias y rosas del brazo de su padre, quien la dejaría, como si fuera una doncella feliz de ser sacrificada, en manos de un hombre muy atractivo que vestía un impecable traje negro. Luego los dos caminarían a los acordes de la marcha nupcial hasta el altar, donde el padre Carlos los declararía marido y mujer.

Pero de a pocos, como se quema la luz de un cirio, Alejandra fue despertando de su grato duermevela. El macho hermoso no aparecía y ella empezó a gritar con todas sus fuerzas mientras trabajaba, comía, dormía y malvivía, sin que nadie la escuchara, ni la abuela Amelia, ni mamá Ruth, ni su padre, ni su hermano Agustín, que ya no estaba en edad de servir de pajecito. Si acaso alguna amiga en la galletería de los Urueña la oía de vez en cuando. ¡Carajo!, quiero un hombre. Un hombre, nada más. No me importa que sea feo y chiquito, calvo y viejo si se quiere, no importa que no me regale flores, ni me lleve chocolates, simplemente le pido que se quiera casar conmigo y si no se quiere casar, pues que viva conmigo. Un hombre que me espere en la esquina de mis noches fatigadas, un hombre para agarrarme de él cuando resucite de mis pesadillas que madrugan, un hombre dispuesto a dejar que sus vigilias y las mías se junten. Un hombre, simplemente eso. ¿Es demasiado pedir, Dios mío?, se preguntó Alejandra, de regreso a la inmediata realidad.

Vio a su padre caminando a su lado y le agradeció, sin decírselo, que no hubiera hablado desde cuando dejaron el autobús. Qué bueno que no me preguntó en qué pensaba, qué idea me perseguía. Ya hubo suficiente por esta noche.

–Allí debe estar Eulogio, en el café La Romana, que es donde se la pasa bebiendo. Espéreme aquí afuera, Alejandra, que no demoro.

–No, yo voy con usted papá –le dijo Alejandra. Quiero ver hombres, pensó ella, así estén borrachos.

–Hola mi querido Agustín Enrique –gritó un envejecido Eulogio–. Venga para acá, qué gusto verlos. Mire señorita yo soy tan viejo que conocí a su padre siendo un niño y a usted la conozco desde antes de nacer. ¿Pero usted sabe cómo me conservo? Yo me conservo en alcohol, vengan para acá y los presento a mis amigos.

–No, tranquilo don Eulogio, sólo vinimos a saludarlo un momento.

–¿Cómo qué no? Vean mis compadritos, les presento a dos amigos de la ciudadela Córdoba, gente que me ha acompañado en muchas elecciones –dijo Eulogio eufórico.

Agustín Enrique saludó con timidez, se preocupó al ver que su hija le daba la mano a un grupo de borrachos y trató de llevar a su efusivo interlocutor, que por momentos trastabillaba, a un rincón del bar.

–Vea don Eulogio, usted ya sabe lo qué pasó con mi hijo Agustín, venimos a ver si puede hacer algo, si nos puede averiguar con el ministro Roberto Bordado qué habrá pasado, si hay conversaciones con los muchachos de Efraín que parece que se llevaron a Agustín y a otros soldados.

–Mire, como decía su mamá Amelia cuando tenía la chichería, a los borrachos a veces nos da por decir la verdad. Y la verdad, es que la suerte de Agustincito está en manos de Efraín.

–Pero algo se podrá hacer –le dijo Alejandra–. El ministro tal vez pueda ayudar.

–El ministro Bordado se la pasa por allá en Pueblo Grande dando declaraciones en la radio, pero eso es como un perro que ladra y no muerde. Bébanse un trago don Agustín y señorita Alejandra –les insistió Eulogio, mientras llamaba a un mesero.

–Bueno –le respondió Alejandra–, le voy aceptar, pero sólo una cerveza.

–Si ella se toma una, yo también me tomo otra –dijo Agustín Enrique.

–Así digo yo, señorita, sólo me tomo una, y termino borracho.

–¿Qué nos aconseja? ¿Qué hacemos? –preguntó Alejandra.

–Bébase la cerveza, señorita, y brindemos. ¿Usted sabe cuándo bebí yo por primera vez? Yo bebí por primera vez en el colegio, haciendo el papel de Antón y el eco, un borrachito que peleaba con el resuello de su propia voz –respondió Eulogio, alejándose de la angustia de sus interlocutores.

–Usted podría, Eulogio, hablar el lunes con el ministro o con alguno de sus conocidos. Ayúdenos hombre –le pidió Agustín Enrique.

–Señorita, ¿usted no se sabe la historia de Antón y el eco? –preguntó Eulogio, ajeno a lo que Agustín Enrique le había dicho, y sumergido ya en su embriaguez.

–Nos vamos papá, nos vamos ya don Eulogio, otro día será –dijo Alejandra desencantada, tras beberse apenas un sorbo de la cerveza.

–No, señorita Alejandra, venga, haga usted de eco para que vea lo que es un buen actor. Si mi padre no me mete en esto de la política y el negocio de la tierra, yo sería actor, esa fue mi vocación. Yo soy Antón, el gran borrachón, que viva Antón, que viva el borrachón –dijo Eulogio delirante, mientras Alejandra y su padre se retiraban.

ROBERTO BORDADO contempló el chorro de luz que se colaba por la ventanilla del avión y calentaba sus pies estirados. Miró el par de zapatos negros con los cordones sueltos y la piel de cuero impecable, esperándolo con una paciencia imposible hasta cuando él quisiera ponérselos de nuevo. Quería mucho esos zapatos importados, que no le apretaban ni maltrataban los dedos, que parecían formar parte de sus pies, que caminaban siempre a su paso, sin adelantarse ni atrasarse. Mientras el piloto señalaba que en breve iniciarían el descenso, el ministro se calzó y repasó de nuevo los últimos acontecimientos, que lo tenían de regreso a Pueblo Grande. Esa mañana de sábado, flotando sobre las aguas del río El Dorado habían aparecido la sotana del padre Carlos y el cuaderno de las cuentas pendientes de doña Flor.

La sotana estaba empapada, con los bolsillos cargados de agua y los botones casi desprendidos, colgando de unos hilos frágiles. En el cuaderno de doña Flor, los números que registraban las cantidades que le debían sus vecinos de San Francisco de los Colorados se habían transformado. El uno se veía doblegado, olvidado de su altiva posición, el dos había perdido su cuerpo gracioso y redondo, el tres no se tenía en pie, al cuatro no se le veía el estómago.

En el fondo del río una bandada de peces de colores oía los remolinos de agua, que iban anunciado que ya no habría más festivales de teatro campesino, ni más créditos para el vecindario de San Francisco de los Colorados.

Roberto Bordado andaba, como de costumbre, afanado por la apretada agenda que manejaba. Con frecuencia dictaba conferencias sobre los planes de la administración, inauguraba cursos en el Colegio Nacional de Abogados, iba al Congreso a defender la gestión del gobierno, asistía a las reuniones del gabinete en el palacio presidencial y daba declaraciones a los medios sin descanso.

Recién aterrizó en el aeropuerto de Pueblo Grande, ya estaba atrapado entre una jauría de micrófonos sedientos de un titular. Bordado toreaba muy bien esas corridas, como él las llamaba. Sabía, cuando los reporteros lo querían comprometer, responder sin decir nada, clavar algunas banderillas que no hacían daño, lanzar una o dos frases punzantes con destinatario incierto y despedirse, dejando agonizar las últimas preguntas perdidas entre cables y grabadoras, cuando él ya cruzaba vigoroso la puerta que lo llevaría a la brigada y luego al despacho del alcalde. Sabía tambien que se trataba siempre de mostrarse ante las cámaras activo, en movimiento, ocupado, como un hombre que vivía resolviendo los problemas que otros le ponían sobre sus hombros.

En Pueblo Grande había un gran alboroto con la noticia que, desde muy temprano, se escuchó por la radio: Según algunos testigos presenciales, el conocido hombre de la blusa blanca y la corbata amarilla llegó esta madrugada del sábado con su banda, vestidos todos de traje de campaña, armados de fusiles, hachas y serruchos, a la casa cural del barrio San Benito, en las afueras del pueblo, donde vivía el sacerdote y donde solía ofrecer posada y abrigo a quien lo necesitara. Traían a doña Flor a rastras y a rastras se llevaron al padre Carlos. En las paredes habían dejado un cartel pegado en el que señalaban, textualmente, que el curita Carlos era un cura subversivo y doña Flor, la persona que había facilitado la información necesaria para que los muchachos de

Efraín pudieran atacar San Francisco de los Colorados la noche del pasado lunes.

El comandante de la brigada reiteró a esta cadena, continuaba el informe de la radio, que las Fuerzas Armadas no protegen al hombre de la blusa blanca y la corbata amarilla; dijo que es falso que él pase las noches de los viernes en la brigada, que si ha dormido ahí es por algún error de la guardia, y prometió que perseguirían a los responsables de este insuceso como han perseguido a los responsables de tantos otros insucesos parecidos.

–Santo Dios, ¿será que están hablando del mismo padre Carlos? ¿El que trabajó hombro a hombro con nosotros en el barrio Obrero? –preguntó aterrada la abuela Amelia–. Si él era un subversivo yo soy una atea. Vamos Ruth, salgamos a la calle a ver si averiguamos algo.

–Sí, doña Amelia, vamos. Pero no a averiguar por el padre Carlos; nos toca ir a la brigada a ver qué pasó con Agustín, a ver qué noticia nos tienen.

Amelia y Ruth se encontraron con un sol de fuego que dejaba caer sus rayos inclementes sobre los tejados de las casas de Pueblo Grande. Las gentes se movían bajo los aleros de zinc, huyéndole al encuentro con el sol, mientras sus sombras felices de aparecer y existir, correteaban caprichosas sobre las calles. Las siluetas negras, acostadas sobre el pavimento, se movían con facilidad, dueñas de una agilidad única, ajenas al peso de los años que dificultaba el paso de los cuerpos que las proyectaban. Eran más rápidas y desenvueltas, como si hubieran logrado escapar de la prisión de carne y huesos, ansiedades y deseos, donde permanecían encerradas mientras el sol no alumbraba.

Las dos mujeres vieron pasar un cortejo fúnebre, cubierto

por el sopor del cercano mediodía. Pueblo Grande ardía como una hilera de fogones imposible de apagar. Adelante iba una carreta que cargaba el féretro, tirada por una yegua negra de crin blanca y conducida por un hombre de sombrero jarano de ala ancha y copa baja. Dos mujeres que vestían riguroso luto iban detrás. En una mano llevaban la camándula y el misario y la otra la tenían puesta sobre el ataúd.

–Es ella, mírela. ¿Sí se acuerda, doña Amelia?

–¿De quién?

–Mírela, una de las mujeres que va adelante, con la mano en el ataúd, es la misma que vimos antier, la que se estrelló con sumercé y le dijo que la disculpara que era por ir pensando en sus angustias. ¿Sí se acuerda?

–Como que sí es la misma señora, ¿no es cierto?, pobrecita –dijo la abuela y recordó, una vez más, a Wolfgang y su frase premonitoria.

A Evarista y al féretro los seguían un grupo de sus paisanos, algunos de los que salieron del pueblo en vísperas del ataque del lunes, luego de escuchar al sargento Tierradentro diciéndoles que trancaran bien las puertas y ventanas, y otros más que se marcharon después del combate y tras la desaparición de doña Flor.

La mujer que acompañaba a Evarista era la mamá del Ratón.

–Señora, ¿quién era el finado? –le preguntó la madre del Ratón a Evarista, cuando la vio comprando el cajón en la funeraria del pueblo.

–Era mi hija. A nosotros las guerrillas nos incendiaron la casa en el ataque a San Francisco de los Colorados, y ella se me quemó todita.

–¿Y cuántos años tenía?

–Iba a cumplir dieciséis.

–Déjeme, por favor, marchar a su lado que mi hijo era apenas un año mayor y se acabó en el mismo ataque. Claro que no le voy a decir mentiras, él andaba con los muchachos de Efraín, por eso es que a mí ni siquiera la mortaja me devolvieron y por eso también ando mirando ataúdes, imaginándome cuál habría escogido para él.

–Venga, conmigo –le dijo Evarista, y la tomó del brazo–. Le prometo que cada vez que rece por mi Isabel voy a rezar también para que el alma de su hijo encuentre el reposo –le dijo llorando.

–No llore más por favor –le pidió la mamá del Ratón.

–Sí, mi señora, tiene razón, tengo que guardar unas lágrimas porque mañana serán las exequias de mi comadre Flor.

La carreta siguió su camino, y cerca a la catedral, donde se oficiarían las honras por el eterno descanso de Isabel, Evarista vio a un anciano que se detuvo junto a una mujer, antes de entrar al salón de Los Hijos de Cristo, a ver pasar el entierro. El viejo intentó darse la bendición y la mujer trató de impedírselo.

–Papá Benjamín, otra vez con eso. No se persigne que nosotros ya no somos católicos –le dijo Cecilia.

–¿Desde cuándo no somos católicos, Cecilia? –le preguntó él.

–Desde hace años. Poco después de que se perdió Raquel dejamos de ir a la catedral y nos convertimos en Hijos de Cristo –le respondió Cecilia sorprendida de oírlo hablar de nuevo, ya que rara vez lo hacía–. Vamos al salón a orar al Señor para que Mercedes regrese pronto con Raquel. Ella se fue a buscarla y el día que la encuentre van a volver, lo sé, estoy segura de que así será.

–Quiera Dios que las niñas vuelvan, y acuérdese de una cosa: el que es no deja de ser –le respondió Benjamín y se persignó de afán, como un niño apurado con su travesura. Luego avanzó y entró igual de presuroso al salón de los Hijos de Cristo.

Una barra de amigos del padre Carlos, solidarios con él, con doña Flor y con toda la comunidad de San Francisco de los Colorados, salió a marchar a las calles, con los torsos desnudos y varios letreros pintados con tinta roja en sus pechos: AQUÍ NOS MATAN HASTA LOS SUEÑOS. EFRAÍN, ¿HASTA CUÁNDO? ¿DÓNDE ESTÁN LOS DEL CLUB? EL DE LA BLUSA BLANCA Y LA CORBATA AMARILLA DUERME EN LA BRIGADA. POR LA VIDA, HASTA LA VIDA MISMA, rezaban esos carteles escritos sobre la piel del escaso grupo que apenas había recorrido dos cuadras, cuando fue sorprendido por un piquete de hombres uniformados con traje militar.

–Están prohibidas las marchas –dijo el jefe, que vestía un camuflado y hablaba por el megáfono–. Estamos en estado de sitio y hay que pedir autorización para cualquier reunión, protesta o actividad política.

–Pero si el estado de sitio se acabó hace años –dijo uno de los manifestantes.

–Pues aquí no se ha acabado.

–¿Y éstos representan al Ejército, a los muchachos de Efraín, al hombre de la blusa blanca y la corbata amarilla o a quién? –preguntó uno de los que protestaban a otro de sus compañeros.

–¿Quién sabe? Pero que son la autoridad son la autoridad, ¿no les ve el uniforme y las armas?

El ministro Bordado, por segunda vez en los últimos cuatro días llegaba apresurado a Pueblo Grande. Venía a expresarle a la gente el sentido pésame por lo ocurrido, a escuchar las quejas de los desplazados de San Francisco de los Colorados y a ofrecerle su apoyo moral a las madres de los soldados. Varias veces a la semana el funcionario hacía itinerarios parecidos por una y otra comarca, tantos que en su cabeza se confundía la información. Ya no sabía bien quiénes eran los muertos y quiénes los dolientes, cuáles eran las víctimas y cuáles los victimarios, qué razones y qué motivos explicaban el último genocidio, cómo se llamaba un pueblo y cómo se llamaba el otro. Para solucionar ese problema había prefabricado unas frases que se adaptaban a cualquier ocasión: somos solidarios con su dolor, se hará una investigación exhaustiva para esclarecer los hechos, perseguiremos sin descanso a los responsables, mi obligación es escucharlos. A veces le parecía que visitaba los mismos sitios, veía las mismas gentes y recorría las mismas calles, pero no se atrevía a preguntar por temor a que descubrieran que él no sabía en qué municipio se encontraba ni con quiénes hablaba ni cuál era la última andanada de la barbarie.

Hijo de una familia de provincia, Bordado apenas se hace bachiller viaja a la capital y estudia en el Colegio Nacional de Abogados, donde obtiene calificaciones sobresalientes. No falta quienes dicen que es un mal estudiante, que no entiende las clases de filosofía del derecho, que sus ausencias son notorias, pero que él, con su habilidad y gracias a la amistad de su padre con los señores del antiguo Club, se ha hecho a un historial de brillantes resultados académicos. Calumnias de mis enemigos, dirá Roberto frente a esas críticas.

Graduado con honores regresa a la provincia, donde gracias a su olfato político, a los consejos de su padre y a su paciencia, se convierte en la promesa electoral de la región, siempre ganando dos cupos para el Senado. Escala posiciones políticas trabajando duro en su tierra a favor de las candidaturas de don Pedro Fernández I, don Pedro Fernández II, don Fernando Pedroza I y don Fernando Pedroza II. Desde hace rato, Roberto Bordado espera, como un tigre agazapado, la oportunidad definitiva que lo trepe en la cima, aunque él sabe bien lo difícil y empedrado que es el camino. Sabe también que otros políticos de provincia han llegado a la cúspide. Se trata de acatar las reglas de juego del Club, respetar los pactos y honrar siempre la memoria de los viejos patriarcas. Por eso Bordado sigue mostrando su lealtad a toda prueba a los clanes Fernández y Pedroza. Últimamente ha sido uno de los promotores de la precandidatura de don Pedro Fernández III, aunque en las conversaciones con su mujer siempre le dice que aquél no tiene ningún futuro político, que parece un mocoso. Esa es la expresión que más le gusta utilizar para calificar al heredero.

–No es como el viejo, que era un árbol mañoso pero con muchas ramas, ni como el padre, algo lánguido pero capaz de florecer. No mija, éste es un mocoso.

–Aténgase y no corra y verá que ese mocoso lo deja sin ministerio, le quita los votos en un santiamén y de paso le enamora a sus hijas ¿oyó? –le repite ella con tono de advertencia.

Una vez al año el ministro visitaba toda la parte antigua del palacio de Versalles criollo. Esa era una callada manera de decirse a sí mismo que creía más en ellos que en sus herederos, que confiaba más en los antiguos hidalgos, como los llamaba en sus discursos, abuelos y padres, claro está, de los nuevos príncipes de la libertad, agregaba siempre en sus conferencias para evitarse alguna queja, algún roce con los vástagos de las nuevas generaciones.

Bordado se movía con facilidad por ese palacio, convertido, sin que el país y menos aún don Pedro Fernández y don

Fernando Pedroza se dieran cuenta a qué horas, en un abandonado museo de puertas herrumbrosas que se quejaban doloridas, techos lastimados que dejaban ver sus vientres de guadua, ventanales desvencijados con los vidrios heridos, lámparas de lágrimas que lloraban sus añoranzas, cortinas deshilachadas con los ruedos descosidos que se arrastraban por los pisos de alfombras chamagosas, lagos de aguas estancadas poseídas por el color del abandono y rodeadas por jardines de flores marchitas y derrotadas.

En el deshecho palacio de Versalles se guardaban auténticas reliquias, mohosas y derruidas. Los viejos estilográficos, bañados de tinta endurecida, con que los históricos presidentes del Club firmaron uno y mil pactos, los manuscritos ilegibles de las decenas de constituciones que se inventaron cada uno de los miembros del Club y sus partidarios, las copias despedazadas de los millones de decretos que se dictaron y no se cumplieron, la galería de fotos de los visitantes más ilustres que tuvo el Club. Ahí estaban, en aquellas imágenes deslucidas y ajadas, invadidas por unas manchas amarillas que se extendían, el presidente del Norte, con su halo de mártir. También aparecían los papas viajeros, auténticos herederos de los emperadores romanos, saludando a sus legiones de fieles y dando la bendición a las familias del Club y al país entero, generales y jefes de ejércitos victoriosos que rubricaban acuerdos con sus pares criollos y otras decenas más de personajes de renombre internacional.

Cada vez que Roberto Bordado visitaba las antiguallas en las cavernas del palacio de Versalles y contemplaba la galería fotográfica, donde él aparecía dos o tres veces en un modesto segundo plano, pensaba en cómo sería el lugar a ocupar si se trepaba en el poder.

Cómo sufrirían ellos, los Pedrozas III y IV y los Fernández

III y IV, si ese retrato se hiciera realidad. Se verían obligados a colgarlo en la galería de su salón, el salón Miami Beach. Allí, en medio de los ventanales color sol y las paredes forradas de estuco veneciano de color zapote, junto a las más celebradas fotos de ellos y sus visitantes. Muy cerca del último presidente del Norte, quien pocos días atrás estuvo en el palacio en una visita relámpago, hecha casi a las escondidas, entrada por salida.

–Cuando vino el presidente mono –acostumbraba decir Eulogio Fierro en sus borracheras –apenas crecían los tallos de nuestros males de hoy, pero cuando regresó todos habían florecido.

–Que no sea bruto, Eulogio, que no es el mismo, son dos los presidentes que nos visitaron, uno hace años y el otro hace poco. Lo que pasa es que ambos se parecían por lo monos –le replicaba la abuela Amelia.

–No me salga con esas Amelia, que yo no estoy loco, es el mismo mono, con las mismas monadas. Lo que pasa es que aquí sí no somos los mismos. Al principio apenas asomaba la mugre en el Club barrían debajo de la alfombra, hasta que la basura volteó las alfombras, invadió todos los antiguos salones, salió por las ventanas y esto se convirtió todo en un tumulto de desechos

–Que no sea bruto, Eulogio –le insistió Amelia.

–Cuando la primera visita –continuó Eulogio, que otra vez, desaforado, bebía aguardiente–, el mono se encontró con que apenas estaban levantando y tumbando las primeras paredes del palacio y en la visita de hace pocos días, ya le tocó fotografiarse en el chiringuito de salón que construyeron los herederos de don Pedro y don Fernando. Ahí fue cuando yo caí en cuenta que ni los jefes del Club ni nosotros habíamos hecho una mierda –remató Eulogio y soltó una ruidosa carcajada que atravesó la ciudad y se coló entre los desgarrados velos de seda del antiguo palacio de Versalles. Su eco estrepitoso llegó hasta el salón Miami Beach, donde esa misma noche reinaba la fiesta con la elección de los más bellos y las más bellas de la capital, escogidos en medio de agrias polémicas entre los Pedrosas y los Fernández de las últimas generaciones, que no lograban ponerse de acuerdo sobre sus gustos y preferencias.

Allí, diligentes meseros de vestido y corbatín negros se movían como acróbatas, llevando sobre sus dedos bandejas de copas servidas con champaña y vasos cargados de whisky que la concurrencia degustaba satisfecha. Para los más exigentes, en el salón del disfrute, había disimulados platos de charol servidos con Pajarita preparada, para gozar todavía más del carnaval citadino que las gentes del pueblo observaban colgados de las ventanas.

MERCEDES DESPERTÓ sobresaltada la madrugada del sábado en el silencioso campamento que a esa hora parecía un cine clausurado, con las luces apagadas, las sillas vacías y el proyector guardado. Trató de recordar el intenso sueño que acababa de vivir y empezó a ver fragmentos que fue reconstruyendo con la paciencia de quien arma un rompecabezas. Pero le pareció que no lograba completarlo del todo, que una parte muy importante, tal vez definitiva, quedaba por fuera.

Están con Antonio en una calle de Pueblo Grande, un domingo en la tarde. Los dos van vestidos de paisanos y tienen la tarea de acercarse a la brigada a verificar si es cierto que un convoy militar va a partir para San Francisco de los Colorados. Desde el otro lado de la pared blanca un oficial, encaramado sobre una garita, los observa a través de unos binóculos, se da cuenta de su sospechosa presencia y activa una alarma tan estridente que Mercedes siente que le va a reventar los tímpanos. Enseguida ella se ve en el sueño corriendo de la mano de Antonio, hasta que desembocan en una calle ciega, sin salidas. Intentan devolverse pero al frente está el perro pericón que muestra desafiante sus colmillos. El cuaderno, dice Antonio, dame el cuaderno de las Cartas Cerradas para asustarlo y verá que se marcha, pero el animal no cede; al contrario, redobla su fiereza y se lanza sobre ella.

Entonces Mercedes se despabiló asustada. Hay algo que no recuerdo del sueño. ¿Qué será? ¿Por qué tendré la sensación de que es algo muy importante?, se preguntó, mientras indagaba unos minutos en los repliegues de su memoria sin hallar respuesta.

Las cartas milagrosas han viajado del corral a la enfermería y de la enfermería al corral, gracias a la diligencia de Sara, encargada ya de prestar turnos de guardia. Sé que te voy a amar, le escribe él. No exageres, lo nuestro no puede ser, responde ella. Por qué no puede ser si los dos decidimos que sí. ¿No me estás diciendo mentiras? Te juro que no, tú me gustas mucho. Tú también.

Agustín debe estar pensando en mí, dándole vueltas a lo que decía mi última carta, ojalá que la haya quemado. ¿Qué irá hacer ahora? ¿Qué me irá a decir? Seguro que hoy me escribe de nuevo. Mándame otra notica pronto, dime que me piensas mucho, repíteme que ya sientes los pasos del amor, vuélveme a decir que todas las vueltas de tu vida se dieron porque me tenías que encontrar.

Agustín a esa misma hora, al otro lado del campamento, se hacía una sola y única pregunta: ¿Qué voy hacer? Pensó en mamá Ruth y recordó que ella le decía que las respuestas más difíciles el hombre las descubría si era capaz de hablarle a la tierra con el convencimiento pleno de ser escuchado. Se recostó sobre el suelo, y besó, como si fuera a Mercedes, la tierra pródiga.

Despertó entonces al mudo Ricardo, su confidente desde que terminó el combate, le leyó la última esquela de Mercedes, le dijo que estaba seguro del amor que sentía y le soltó su decisión:

–Si ella está de acuerdo, nos vamos a volar de aquí. Si no me coge la caña es porque no le gusto tanto. Tengo que hablarle, hermano, esto no se lo voy a decir en papelitos, se lo tengo que decir mirándola a los ojos.

–Sí, esas cosas se hablan, lanza, no se escriben. ¿Y qué va hacer?

–Me voy a poner muy mal esta noche para que me lleven a la enfermería y así hablo con ella, y si acepta, de una nos vamos. Fíjese que ahí sólo está el sargento tirado y como tiene la pierna podrida, la vigilancia es mínima, los turnos de guardia están distantes. No es como aquí en este corral en que no nos quitan el ojo de encima.

–Pero primero toca enfermarse de verdad para que se la crean. ¿Cómo va hacer?

–Fresco, que ya la tierra me dijo lo que debía hacer, pero ahora no le voy a contar, esta noche se dará cuenta. No le vaya a decir nada a esta otra gente. ¿Seguro Ricardo?

–Seguro Agustín.

–¿Palabra de lanza?

–Sí, palabra de lanza. Cómo quedaría de aburrido ese Catire del coño si te vas con la pelada. Tienes que planear la cosa muy bien, hermano. ¿Y le vas a decir algo a Tierradentro?

–No hermano, va y se preocupa el hombre y con lo enfermo que está.

Agustín redondeó su plan durante el día, que se le hizo lento y largo.

–¿Qué pasó? –preguntó Frentonces, acercándose hasta el corral donde estaban los soldados. En medio de la oscuridad, había visto los movimientos.

–Lo que pasa es que mi compañero está grave, tiene mucho vómito –le respondió el mudo Ricardo, mientras a Agustín parecía que se le salían las entrañas.

–Estoy llevado, Santiago, necesito alguna medicina, me dio una pálida muy fea –dijo Agustín, minutos después de haber llevado sus dedos índice y corazón, varias veces, hasta el fondo de la boca.

–Vamos hasta la enfermería –ordenó Frentonces, mientras soltaba el seguro de su fusil.

–Gracias –le dijo Agustín en tono quejumbroso–. Regáleme un poco de agua por favor. Bebió y, sin que se notara, se enjuagó la boca varias veces, pensando en que Mercedes no fuera a oler su mal aliento.

–Andando –le dijo Frentonces, quien marchó detrás. Agustín iba casi que colgado del mudo Ricardo. En el camino, Frentonces fue dando, a la distancia, el santo y seña que le permitía identificarse con los compas que prestaban guardia alrededor del campamento. En una de las esquinas del campamento, muy cerca de la enfermería, varias mujeres guerrilleras conversaban y fumaban alrededor de una fogata. Las hembras si garlan, pensó Frentonces.

–¿Qué pasa? –les preguntó Mercedes con aire de indiferencia. Ya había prendido la linterna que apenas iluminaba en la oscuridad que reinaba al interior de la carpa.

–Es que mi compañero está intoxicado, muy mal, ha vomitado demasiado –respondió el mudo Ricardo.

–Bueno acuéstenlo aquí –ordenó ella, y señaló la misma cama de hojas del platanal, donde antes había permanecido Sara.

–Estoy muy mal, déme algo –dijo Agustín, quien desde el principio había puesto en escena los mejores recursos que el padre Carlos le enseñara a manejar, años atrás, en el teatro La Barraca.

–Hay que dejar al chulo aquí por lo menos un rato, para ponerle un poco de suero y aplicarle una inyección –le dijo Mercedes a Frentonces.

–Yo mientras tanto llevo al otro chulo al corral, porque a mí los remedios y los enfermos me deprimen –señaló Frentonces mientras salía.

A Tierradentro, que dormitaba encendido de fiebre, le pareció escuchar la voz del soldado Agustín, la incorporó a sus sueños y continuó divagando.

Agustín y Mercedes, ya solos, se saludaron pasito, suave, temerosos de despertar algún ruido que comprometiera su amor prohibido. Luego se acomodaron, tomados de la mano, en el rincón menos visible de la enfermería y hablaron entre susurros, pero con intensidad.

–Vente conmigo, Mercedes, vámonos de una de este monte. Vámonos de aquí para la ciudad –le pidió Agustín, sacando las palabras de su garganta, tratando de no mover la lengua–. Yo te llevo a donde mis padres, a donde mi gente, a mi barrio, a gozarnos la vida, a bebérnosla Mercedes, a tragarnos estos años nuestros.

–¿Pero tú estás seguro de lo que me pides que hagamos? Es una locura, Agustín, ni siquiera nos conocemos. La fuga de aquí no es nada fácil.

–Claro, yo lo sé, pero ya estoy aquí. Irse del corral es imposible, pero de aquí sí nos podemos pisar, ya llevamos la mitad de la fuga. Más tarde le abrimos un roto a la carpa y arrancamos. Sólo se van a dar cuenta en la mañana y ya les tendremos demasiada ventaja.

–¿Y si nos perdemos en el monte?

–No nos vamos a perder porque buscamos la quebrada y seguimos su ruta, esa nos lleva al río y en el río ya estamos al otro lado.

–Espera, acuéstate –le dijo Mercedes mientras sacaba un frasco de suero vacío, lo llenaba de agua y se lo colocaba a Agustín. Manténte enfermo, venga quien venga –le pidió ella.

–Bueno, ¿y cuál es la última? –preguntó Frentonces de regreso del corral.

–Santiago, el chulo está muy mal. Toca dejarlo en la enfermería porque está deshidratado y se desmayó –le advirtió Mercedes–. Ahora a mí me toca llevar del bulto aquí, atendiendo no sólo a un chulo sino a dos chulos enfermos y acabados.

A Frentonces, confundido de la emoción al oír de nuevo su nombre de pila, le provocó abrazar a Mercedes contra su pecho, apretarla y decirle gracias.

–Listo Mercedes, que se quede y por la mañana le hacemos un reporte al Catire y lo firmamos los dos.

–Sí, Santiago, listo.

–Hasta mañana Mercedes, que descanse. Aquí entre nos, ese chulo es como buena gente, ayúdele a que se mejore.

–Piénsalo bien Agustín –le dijo Mercedes, retomando el diálogo de la misma manera: sacando las palabras del fondo de la garganta–. Si nos pillan a mí me matan y no sé que pasaría contigo.

–No. Mercedes, nada de eso nos va a pasar, tranquila, si ninguno de los dos morimos en el combate es porque nos tocaba encontrarnos.

–¿Y tú cómo sabes que yo estuve en el combate?

–Yo ya sé muchas cosas tuyas, simplemente oyendo hablar a los que nos vigilan, sin preguntar nada, sólo escuchando. Vámonos Mercedes, yo lo tengo decidido –le dijo él en ese mismo tono casi imperceptible–. Recuerda lo que te escribí, nos encontramos porque el destino ya lo tenía decidido.

–El riesgo es grande.

–Sí, de acuerdo. ¿Pero acaso lo que de verdad vale la pena no tiene riesgos? El plan que te digo no nos falla.

–No sé. Ahora vengo Agustín, y no se te olvide, estás desmayado venga quien venga.

Mercedes entró a su cambuche. Recordó el sueño de la mañana, vio a Antonio angustiado al encontrarse a boca de jarro en la calle ciega, oyó ladrar al perro negro y grande, pero no pudo precisar cuál era la parte que había olvidado. ¿Qué será lo que debo hacer?, Agustín es un chulo, pero antes y después de esa circunstancia es un hombre muy bello, me gusta mucho, es muy sincero y lo está apostando todo por mí. Vivo preguntándome qué hago aquí, dudando de esta guerra que ya no es guerra sino horror, y ahora que se me abre una puerta de verdad no puedo dar marcha atrás.

Mercedes salió, prendió un cigarrillo y se acercó al corrillo de mujeres, que hablaban alrededor de la fogata. Ahí estaba también la compañera del Catire, la morena de trenzas brillantes y largas. Sabía que el jefe guerrillero no quería compañía, lo vio en su rostro desde la noche anterior cuando llegó bebido de visitar al sargento, con los ojos inundados de esa rabia que no dejaba ver de nadie, pero que ella conocía de tiempo atrás. Sabía también que el Catire pasaría varios días encerrado en uno de sus prolongados silencios. Pero ya vendrá –lo sabe ella– a rendirse, como lo ha hecho tantas otras veces, ante sus pezones atezados y maduros.

Por eso se refundió esa noche entre sus compañeras, jóvenes todas, Inés, Juana, Carmen, y cinco mil nombres más. Dueñas cada una de una historia, de unos anhelos perdidos en este claroscuro de las selvas del oriente, en los repliegues de las cordilleras, en los bosques densos, en los valles accidentados, en algún lugar de la inmensa y rica geografía.

Las muchachas hablaban de la situación política al interior de las guerrillas, de la necesidad de mejorar su participación en los debates, de la necesidad de que no todo lo dirigieran ellos. Hablaban de los hombres, ese tema de nunca acabar. Con sus resabios de niños que no se terminaban de criar. Asustados, muertos del miedo desde cuando dejaron el vientre materno y rompieron el cordón umbilical.

Casi todas fumaban mientras seguían conversando de los hombres, de aquellos machos tiernos y confundidos que tanta falta hacían porque de lo contrario la vida era para ellas como una mesa sostenida en una sola pata, un baile sin pareja. Junto a las jóvenes guerrilleras, como fieles y silenciosos mancebos siempre dispuestos a complacerlas, estaban los fusiles negros, automáticos, de cañones estirados como bocas de dragón y cargadores repletos de proyectiles, como estómagos de ratas preñadas que esperan ansiosas la hora de dar a luz.

–¿Qué té pasa Mercedes?, te noto apagada –le dijo la mujer del Catire.

–Sí, debe ser que uno se apaga cuando está a punto de encontrar la luz –le respondió Mercedes, riéndose, mientras la noche en el campamento se envolvía en sí misma, recogiéndose en la oscuridad y haciendo suyos los olores sudorosos, la múltiple transpiración de los cuerpos bitongos. Esa vigilia del sábado olía en el campamento a vaginas cálidas, a semen en reposo. Olía a jóvenes seres humanos.

Agustín, recostado en la enfermería, seguía navegando junto a Mercedes por la gran ciudad. Ven Mercedes, dime que nos vamos y así podré llevarte al estadio, tú en sandalias, yo con el pelo largo, a que vivamos un clásico una tarde de domingo, con el sol picando duro, un lleno a reventar y un partido inolvidable. Los dos arriba, en altas, con la camiseta puesta. Ahí metidos entre las barras bravas, sentados moviéndonos todos hacia adelante y luego hacia atrás como si fuéramos una mecedora, entonando el canto Oe Oe, Oe Oa, que mi equipo va a ganar. Luego, a la salida, felices con la victoria nos iremos, tú y yo, para el Palacio del Colesterol a que comas la más rica morcilla, negra y jugosa, y las más deliciosas papas criollas.

–Oiga Agustín –dijo de pronto Tierradentro.

Agustín guardó silencio, sorprendido, decidido a seguir en su papel de enfermo.

–Tranquilo Agustín, hombre, lo único que quiero es desearle mucha suerte, avancen rápido y fíjense que no los sigan. Si vienen acá a buscarlos, yo trato de entretenerlos. El plan es bueno, la quebrada los debe sacar al río y de ahí llegan a Pueblo Grande o a San Francisco de los Colorados. Busque la brigada que mi general lo va a recibir bien, se lo aseguro y a ella no le va a pasar nada.

–No le entiendo mi sargento, ¿por qué me dice eso?

–Porque no demora Mercedes en venir a decirle que se van y con ella se iría cualquiera de aquí. ¿Tiene miedo Agustín?

–Sí.

–Lo entiendo, el miedo a la libertad es distinto a todos los otros miedos.

–Lo aprecio mucho mi sargento, usted lo sabe.

–Yo también Agustín y perdóneme hombre, no le hice caso de dejar el techo de los refugios de sólo treinta centímetros de alto y ahí fue que perdimos.

–No, mi sargento, no tengo que perdonarle; yo le debo mucho, usted es un maestro, un hombre de verdad. Voy a avisar en la brigada que está aquí y que está herido.

–Ellos ya saben que estoy aquí.

–¿Y usted no tiene miedo sargento?

–No Agustín, yo lo que tengo es vergüenza.

–Le voy a contar a mi familia toda su historia, porque usted es un verraco, mi sargento. Ojalá algún día nos volvamos a ver, me gustaría presentarle a mi familia y presentarle a mi hermana Alejandra, que usted la conociera y que ella lo conociera a usted.

–Los dos tal vez no nos volveremos a ver más, Agustín.

–¿Por qué lo dice mi sargento?

–Porque cuando esta pierna se me acabe de pudrir, se me van acabar también las ganas de vivir.

La noche se fue yendo, las mujeres se durmieron y Mercedes, sin contárselo a nadie, decidió que había llegado la hora de la partida. Metió una lata de atún, dos pantalones, una blusa, el cuaderno de las Cartas Cerradas en su morral, se echó el fusil al hombro y salió de su cambuche a rastras.

–Vámonos Agustín.

–Adiós Mercedes, cuídeme a mi soldado. Adiós Agustín –les dijo el sargento.

–Adiós jefe Preston –le respondió Mercedes cariñosa.

–Adiós mi sargento –le dijo Agustín.

LA TELA DE LA carpa se abrió rasgada por el machetazo. El Catire irrumpió como un ventarrón en la enfermería y miró con ojos sostenidos a Tierradentro. De su cuerpo delgado y firme como una vara salían algunas gotas de sudor. Las improvisadas camillas de hojas de plátano reverberaban con el calor del domingo, aunque eran apenas las siete de la mañana.

–¿A qué horas se fueron sargento? –preguntó el jefe guerrillero.

–¿Quiénes? –le respondió Tierradentro, rescatando su dignidad refundida entre las fiebres y el delirio.

–Su soldado y la volteada de Mercedes –le dijo el Catire en tono despectivo.

–Anoche, o sea que ya le tomaron demasiada ventaja –respondió el sargento.

–Entre más lejos esté el venado, más hambre tiene el tigre cuando lo alcanza. ¿Y cómo la ve sargento? La bonita se le fue con su subalterno –afirmó el Catire tratando de clavarle unas banderillas.

–A mí siempre me han gustado las hembras buenas para que se vayan conmigo o con mis hombres, da igual.

–¿Y no le dan celos, sargento? Yo creo que sí, eso le debe estar escociendo lo más de bueno. Cuando una hembra se le va a uno, se le rebulle todo por dentro y la cabeza se le vuelve un enredo; lo considero sargento.

–A mí hace mucho rato que no se me rebulle nada, ni siquiera esta pierna –le respondió Tierradentro, cortante.

–Mire, sargento, la suerte de su soldado ya no es responsabilidad mía. Ahora yo soy el cazador y él es la presa. Y la muchacha se echó la soga al cuello. Ella sabe bien en la que se metió.

–Yo que me creo que ya se le fueron –le dijo Tierradentro desafiante, tratando de confundirlo.

En el campamento, todos los ojos estaban puestos en la enfermería. Era un día distinto, ocupado por la novedad de la fuga. Muy temprano, hacia las cinco de la mañana, el subjefe encargado de dirigir la formación de los guerrilleros y el conteo diario había dado la voz de alerta: Faltan la compa Mercedes y un chulo. El Catire se mordió los labios con la noticia, dijo que no habría desayuno para nadie y organizó quince grupos de rastreo en un radio de cinco kilómetros. Creía que todavía los podía encontrar en la periferia del campamento. Los piquetes de guerrilleros salieron en embestida, pero dos horas después estaban de regreso: esa primera exploración resultó infructuosa.

El Catire, muy molesto, realizó una ronda de interrogatorios. Sus preguntas eran como martillazos.

–Frentonces, güevón, ¿por qué no me pidió permiso para trasladar al chulo a la enfermería?

–Camarada comandante, lo que le conté esta madrugada es así, se lo juro. El chulo estaba que vomitaba y pensé que si le pasaba algo, me caían a mí y por eso lo llevé a la enfermería. Mercedes me engañó, me dijo que el hombre estaba muy grave, que se lo dejara ahí y que ella hacía el reporte y se lo llevaba directamente a usted, que me fuera a seguir prestando guardia a los otros.

–Usted si es una güeva ¿no?, tan cabezón que es y esa molleja parece que no le sirviera para nada. ¿No sabía que desde que se fue Antonio teníamos que desconfiar de Mercedes?

–Sara, usted sabía los planes de Mercedes ¿Por qué no la denunció? –le preguntó el Catire.

–Mire camarada comandante, ya le respondí. Ella no me dijo a mí que se iba, apenas me contó que el chulo estaba enamorándose de ella, pero como así le pasa casi con todos, a mí no me entró sospecha.

–Cuando la capturemos, usted va a ser la fiscal del juicio revolucionario que le vamos hacer a Mercedes, y ya sabe cuál es la pena para una volteada de esas. Al chulo le pueden volar la cabeza. A ella la quiero llevar al paredón despacio, con el juicio de por medio para que sufra más.

El Catire escogió a sus mejores hombres y mujeres.

–Nos vamos a una partida en la que no se puede fallar –les dijo a los quince compas que lo acompañaban–. O los pescamos en las próximas 24 horas o cuelgo a Sara y al cabezón de la copa de un árbol –les advirtió. De salida, se detuvo un momento y desandó sus pasos–. Voy a saludar a un amigo –le dijo a su escuadra, y sacó la peinilla, hirió la carpa y entró como alma que lleva el diablo a hablar con Tierradentro.

–Ya le dije –insistió el sargento– que yo me creo que se le volaron, Agustín es muy vivo y una mujer enamorada es capaz de cualquier cosa.

–Mercedes siempre está enamorada de uno y otro; antes tenía aquí a su marido. ¿No le habló nunca de él? ¿De Antonio? Ese también se nos fue, dejó las armas y se largó.

–Eso era lo que deberían hacer todos ustedes, dejar las armas y ponerse a trabajar en la reconstrucción de esta tierra, que parece una viuda pobre y enferma, abandonada a su suerte.

–¿Dejar las armas, dice usted? –preguntó el Catire y sonrió con sorna.

–Vámonos ya. O los pescamos o va a llover mierda al zarzo. ¡Al trote, camaradas!

Frentonces, Sara y otros trece muchachos marcharon, con sus fusiles al hombro y una cantimplora al cinto, livianos de equipaje, detrás de su comandante.

Agustín y Mercedes habían salido bien de madrugada de la enfermería, arrastrándose como un par de topos. Estaba oscuro, no contaban con suficiente visibilidad y perdieron tiempo dando vueltas y revueltas por entre la maleza. Oían el murmullo del agua que fluía hacía el río El Dorado, pero no lograban acercarse, como si una fuerza inconsciente los amarrara a sus circunstancias. Al fin pudo más el afán de romper con las ataduras que los detenían en el campamento y lograron encontrar la quebrada. Guiados por el sonido del agua, anduvieron sin descanso durante cerca de tres horas, tropezándose con las enredaderas, cayéndose más de una vez. Pero aún así marchaban con determinación. Los movía la ilusión de la libertad y el sueño del amor por realizar.

Cuando amaneció y el sol se dejó ver por entre el follaje, ellos tomaron un primer reposo para beber agua.

–Necesito descansar, estas botas me joden demasiado –le dijo Agustín a Mercedes.

Se detuvieron, refrescaron sus cuerpos calientes y luego se sentaron sobre una piedra a orillas de la quebrada, en el sitio conocido como Paso Manso. El agua correteaba por entre pequeños cañones hechos de piedra, caía en cascadas cuando el cauce descendía, se movía dando rápidas vueltas sobre sí misma en los remolinos, jugaba con la naturaleza del paisaje, adaptando las formas que el camino le señalaba.

Los cuatro ojos negros se observaron con retraída complicidad, como si por fin se encontraran en una solitaria estación tras una larga espera. Agustín se acercó, rozó con su nariz la nariz de ella y la besó con miedo. Pero de a pocos se fueron soltando, dejando que sus cuerpos empezaran a hablar su propio lenguaje.

–Mercedes, movámonos, vámonos ya –le dijo él, en susurros.

–Sí, Agustín, no nos podemos confiar, sigamos –le dijo ella, estampándole un último beso.

–Caminemos a buen ritmo –afirmó Agustín.

Mercedes observó las huellas de las botas de Agustín, que como pequeñas herraduras estaban grabadas sobre la tierra de un ocre húmedo.

–Espera, devolvámonos un rato por entre las piedras y luego cruzamos la quebrada a ver si desaparecemos nuestro propio rastro.

Así lo hicieron. La marcha continuó a paso sostenido, aunque ahora caminaban y Agustín había empezado a renquear. El calor hervía, ambos sudaban, tenían el rostro colorado y el bochorno los acosaba.

–Me provoca quitarme estas botas –dijo Agustín y volvió a detenerse.

–Espera miramos el pie –le dijo ella.

Era una pequeña lastimadura, nada más. Mercedes arrancó una hoja, hizo una especie de cura grande y se la colocó cubriéndole todo el talón y dando vuelta hasta el empeine. Agustín se calzó, con algo más de dificultad, pero sintió el alivio inmediato.

–¿Qué va hacer el Catire cuando se entere? –le preguntó Agustín.

–Ya se tuvo que haber enterado. Con toda seguridad organizó un grupo para alcanzarnos. A lo mejor él viene, a lo mejor se quedó, depende.

–¿Y de qué depende?

–Si le contó a Efraín por el radio, yo creo que han organizado una persecución con ayuda de otros frentes y el Catire no viene, sino que manda gente, porque tiene que ponerse a rendirle cuentas a Efraín. Si no le contó a Efraín, debe venir con un grupo de compas detrás de nosotros.

–¿Y tú qué crees que hizo?

–La verdad, yo creo que él nos viene persiguiendo, no creo que le haya dicho todavía a Efraín porque es una equivocación tenaz y Efraín anda enverracado con él porque murieron varios compas en el ataque al cuartel.

–Rápido, vamos todos en trote sostenido. Estoy seguro que siguieron la ruta de la quebrada para buscar el río y no perderse, tomemos este atajo y salimos abajo, al Paso Manso –les dijo el Catire a sus hombres.

La persecución estaba en marcha. Mercedes y Agustín iban adelante, con una buena ventaja, bordeando la quebrada. Pero donde el agua daba alabeos, caracoleaba, inclinaba su curso hacia un lado o hacia el otro, ellos recortaban un trecho andando en línea oblicua, al sesgo.

La tierra ardía, como si tuviera calderas en sus entrañas.

El Catire tomó un atajo y otro por la selva espesa, saliendo de vez en vez a la quebrada. Jadeante, se detuvo a orillas del limpio caudal de agua en Paso Manso, se agachó y observó las huellas de las botas de Agustín en el piso.

–Son las pisadas del chulito, sigamos recortando, vamos a andar dos horas por la trocha y volvemos a la quebrada en el Paso del León, a ver si ya los tenemos más cerca. Creo que van a San Francisco de los Colorados –les dijo a sus hombres, mientras se internaban de nuevo por aquellos senderos cubiertos de maleza.

Los árboles gigantescos doblaron sus hojas para dejar de buscar el sol y detenerse a observar al piquete de muchachos que andaban a paso atropellado, con movimientos bruscos, tumbando y barriendo con sus machetes mugrones y cogollos. Eran senderos que ya en otras ocasiones habían sido rasgados por las hojas afiladas de las peinillas de los muchachos de Efraín.

La piel del talón volvió a molestar a Agustín. Entonces hicieron una nueva parada en el sitio conocido como Paso del León porque una piedra salida de la quebrada alzaba su cara imponente, semejando al poderoso animal.

–No me voy aguantar más esta lora –le dijo Agustín a Mercedes quitándose la bota izquierda, luego de poner el fusil a un lado–. Estoy seguro de que avanzo mejor descalzo.

–¿Pero sí aguantarás la tierra? Tus pies no están hechos para eso –le dijo Mercedes.

–Seguro que aguanto –le respondió él, y le pidió el fusil para cargarlo, confirmándole que estaba bien–. Cuando mi mamá te vea, le van a dar un poquito de celos, pero luego te aprenderá a querer. Con toda seguridad a la primera oportunidad que tenga te echará el rollo: Mercedes, no olvides guardar silencio, equilibrio y ritmo. Con mi abuela la vas ir rebién, con mi hermana, menos, es una fierita.

–Yo también quisiera que conocieras a mi abuelo Benjamín, a mamá Cecilia y a mi hermanita Raquel, cuando aparezca porque ella se perdió.

–Lo vamos a lograr todo, Mercedes, todo, hasta que mi abuela y tu abuelo se conozcan.

Comieron con hambre, pero tratando de hacerlo despacio, por recomendación de Mercedes, para tener la sensación de que su merienda era algo más que tres bocados de atún para cada uno. Bebieron agua de la quebrada, Agustín enterró el tarro para no dejar huellas y barrió con unas hojas la tierra para que no se viera la hendidura.

–¿Qué es esto? –le preguntó Agustín a Mercedes, mientras contemplaba el cuaderno de Las Cartas Cerradas.

–Un diario de un compañero muy querido que se fue de las guerrillas y me lo dejó.

Agustín observó las hojas rayadas, pobladas de letras y palabras, que parecían siempre dispuestas para quien las quisiera leer.

–¿Era como poeta el hombre, no es cierto? –le dijo él.

–Sí, poeta, revolucionario, Antonio era un primor.

–¿Lo querías?

–No me preguntes eso.

–Por algo dirás que no te pregunte. Pero lo me que importa no es tu pasado sino nuestro futuro.

–De acuerdo, aunque a veces con el pasado es que hacemos el futuro.

Agustín pasó de afán una hoja y otra y otra, hasta que se detuvo en la última página. Aquí debe estar el resumen de lo que el tal Antonio pensaba, se dijo y leyó un párrafo mientras Mercedes se refrescaba.

> ...Ni un disparo más. Quiero que sepas que así como tuve la dignidad y el valor de alzarme en armas, abandonando ese mundito de dos cincuenta que tú me tenías previsto, con empleo, mujer, hijos, un apartamento y un carro pagados en módicas hijuelas, hoy tengo esa misma dignidad y ese mismo valor, si se quiere más, para asumir la decisión de soltar el fusil y hacer la revolución con la fuerza de las palabras. Es la hora de construir, no de destruir, es el tiempo de sembrar no de cortar el trigo. Creíamos que íbamos a cambiar la

sociedad y los únicos que nos hemos transformado somos nosotros, que ya no valemos un real sin los fierros. Todo nuestro poder está en nuestras armas. Y ése es un poder enfermo, que no oye, que no escucha, que sólo conoce el idioma de la violencia.

El Catire, sudoroso y agitado, detuvo la marcha, husmeó en el paso del León, miró desconfiado a un lado y otro. Dejó que sus hombres, a los que traía de la lengua, tomaran agua, humedecieran sus cabezas calientes y descansaran unos minutos.

Sara y Frentonces hablaban entre los dientes.

–Allá Mercedes, yo la quiero mucho pero eso sí, quién la manda a meterse en camisa de once varas y con un chulo para completar. Está loca esa vieja –le dijo Sara.

–No y por culpa de ella y del soldadito ese, fíjese cómo el Catire me regañó. Todo por culpa de ese par de güevones.

Cuando ya reiniciaban la marcha, el Catire se devolvió.

–Un momento –dijo y clavó los ojos en el suelo, como un toro de casta cuando se fija en el trapo rojo. Se acercó despacio, como si no quisiera hacer ruido alguno y con su machete fue removiendo la tierra hasta que salió a la superficie el tarro de atún. Lo alzó con la punta de la peinilla, lo observó y enseguida ordenó a su grupo: vamos que están cerca y muertos de hambre.

–Allá está San Francisco de los Colorados. Si llegamos ahí no tenemos problema –dijo Agustín, mientras descendía del árbol al que se había trepado para poder mirar al horizonte–. Ya no más quebrada, es en esta dirección que debemos seguir

–y señaló hacia el sur–. Seguro Mercedes que si llegamos al pueblo se jodió el Catire –le dijo y recogió el fusil que había dejado para subirse al tronco con más facilidad.

La cercana presencia de San Francisco pareció devolverles la energía. Los pies descalzos de Agustín habían soportado la marcha. El cansancio desapareció y la esperanza cobró un segundo aliento.

–Vamos, Mercedes, que nuestro sueño de libertad está muy cerca –dijo él y arrancó como si sus pies volaran, aunque el arma incomodaba su carrera.

–¿Seguro viste San Francisco de los Colorados? –le preguntó ella motivada.

–Claro, ese pueblo me lo conozco de memoria.

Agustín y Mercedes apresuraron la marcha, hasta que empezaron a divisar en medio de la oscuridad de la noche que ya reinaba, y por entre los espacios vacíos de la broza y la espesura, las casas de San Francisco. En principio eran lejanas sombras de escasos contornos. Pero de a pocos se fueron acercando, adquiriendo un matiz más familiar, menos distante y frío.

La alegría invadió a la joven pareja. Se olvidaron del hambre que los agobiaba, del cansancio, de la prisa incierta que los traía. Ya no marchaban sino que saltaban, dando giros por los aires como trompos sostenidos por el viento, como un par de girasoles que dan vueltas sobre su propio eje.

–¡Vamos Mercedes! –le gritó Agustín radiante.

Eran las diez de la noche del domingo once de abril.

Al acercarse los asustó el silencio que reinaba en San Francisco de los Colorados. Apenas se oía el soplo desvalido de la brisa que venía del río. El pueblo se sentía desocupado, enterrado en el olvido. No se veía a nadie en la calle de las

Ánimas Benditas. Recorrieron entonces toda la calle de las Bienaventuranzas y tampoco había un alma. No se observaba una sola luz prendida en el interior de las viviendas, ni se oía el llanto de ningún pequeño, ni un murmullo siquiera. El poblado parecía un fantasma habitado por casas vacías y calladas, como si durante años hubiera permanecido indefenso y desamparado, huérfano de gentes, sumido en la desmemoria y la inexistencia.

–Qué extraño, no hay nadie, todos se fueron –dijo Agustín, y sus palabras le sonaron huecas, sin sentido. Como si fueran vocablos indefinidos y ajenos.

–Sí, todos se fueron –respondió Mercedes.

Avanzaron cerca a la plaza y Agustín contempló a lo lejos el samán, que se veía triste, con las hojas marchitas y derrotadas. Solitario, como un niño extraviado que de pronto se da cuenta que no tiene a nadie en el mundo, que está solo y sin abrigo.

A la distancia vieron las ruinas del cuartel.

–Vámonos, busquemos el río, porque si no, creo que me voy a quedar aquí para siempre –le pidió Agustín a Mercedes.

Apenas tomaron la trocha que conducía a El Dorado, las puertas de las estancias se abrieron y de ellas empezaron a salir decenas de seres silentes, centenares, miles de almas en pena, que caminaron detrás de la joven pareja.

De las casas brotaban, como bayas del café en cosecha, los campesinos que habitaban la interminable necrópolis que recorrieron Benjamín y Amelia cuando huían de su pueblo, luego de que la Voz fuera silenciada. Llevaban puestas sus alpargatas de fique, sus ruanas y sus pañolones. Atrás los seguían los compañeros del viejo Efraín que no alcanzaron a irse con él a las guerrillas. Cargaban sus canastos repletos de granos de café y llevaban colgados al cuello sus sombreros de ala volada y sus cotizas nuevas. Junto a ellos caminaban Ramón, Olinto y todos los sanfrancisqueños colorados que se fueron en las guerras de la Pajarita. Traían ramos de drupas rojas, sus esteras de palma y sus porongos repletos de guarapo. Enseguida venían El Ratón y todos los otros compas, con sus tenis de marca pirateada y sus mochilas juveniles. A su lado marchaban los soldados de la Patria, el Zambo Belarmino, José el Radiolo, Bernardo el leal, con sus balones de fútbol y sus radios transistores. Muy cerca se veía al padre Carlos y a centenares de hombres como él, que creían y trabajaban por un futuro más amable. Confundida entre la multitud estaba Raquel, vestida con la piel del leopardo que su padre cazara, rodeada de miles de niños más, de caras tiernas y miradas inocentes. Detrás suyo caminaban los secuestrados que se habían perdido entre las lágrimas de sus parientes. De sus pechos colgaban los eslabones rotos de sus cadenas imposibles. Enseguida venían doña Flor, revisando el cuaderno de los fiados y preguntando qué día era y, tras ella, miles de campesinos más.

La inmensa caravana seguía los pasos de Agustín y de Mercedes que sentían y olían el torbellino de ausentes presencias que los escoltaban. Aunque no los vieran, aunque no pudieran observar sus cuerpos de agua ni sus armazones de huesos, sabían que estaban ahí, junto a ellos, respirando sin valerse del oxígeno, caminando sin pisar la tierra, hablando sin pronunciar palabras. Nómadas del tiempo, pasajeros de un viaje sin límites ni destino que habitaban en un mundo imperecedero.

El Catire y sus muchachos seguían de cerca a los dos fugitivos, ajenos al aterrador silencio que gobernaba en San

Francisco de los Colorados y sin percibir el aliento liberador del tumulto de espíritus que se desplazaban hacia el río. Para ellos todo seguía igual.

Agustín y Mercedes se detuvieron en la orilla del Dorado, rodeados de todos aquellos seres que entonaron un canto esperanzador. El vigoroso himno desparramó su música, la sinfonía se extendió hasta alcanzar la plenitud. La Voz, recia y convencida de lo que decía, dirigía el coro poliforme. Aquí estamos, volvimos, somos la semilla que nadie podrá extinguir, el germen de la existencia que nace y renace, el embrión de unos tiempos mejores, cantaron todos ellos.

El grupo del Catire estaba ya más cerca de Agustín y Mercedes, a no más de cincuenta metros, ocultos detrás de unos matorrales en la vega del caudal. Los muchachos tenían sus armas apuntándoles y sólo esperaban la orden que diera su jefe.

–Sepultemos el fusil en el lecho del río –dijo Agustín, movido por la lectura de la última Carta Cerrada de Antonio y conmovido con la multitudinaria presencia que los rodeaba.

–Sí, dejémoslo ahí para siempre –señaló Mercedes emocionada.

La ronda musical creció y se multiplicó. Las notas intensas estremecieron las pieles enamoradas de Agustín y Mercedes quienes se desnudaron y se sumergieron en el agua.

–Todavía no –les dijo el Catire hablando desde su garganta a Sara, a Frentonces y a los otros muchachos, que se mantenían en posición de disparo. Esperemos a que acaben con su manoseo y su güevonada.

Agustín envolvió a Mercedes con sus manos, la besó largamente y subió, moviendo con ritmo y fuerza sus pies, a tomar aire con ella a la superficie del río.

–Mi amor, le dijo Mercedes, quieran Dios y los hombres que el entierro de nuestro fusil sea el comienzo del fin de tanta violencia. Que se acaben para siempre los amores prohibidos y las ilusiones destrozadas en esta tierra nuestra, y apretó a Agustín en un abrazo eterno.

Colección *La otra orilla*